ÉCRIVEZ
VOS
MÉMOIRES

Données de catalogage avant publication (Canada)

Samson, Guy

    Écrivez vos mémoires

    (Collection Guides pratiques)

    ISBN 2-7640-0541-5

    1. Autobiographie – Art d'écrire.   2. Art d'écrire.   I. Titre.   II. Collection:
Collection Guides pratiques (Montréal, Québec).

CT25.S197 2002   808'.06692   C2002-941412-1

LES ÉDITIONS QUEBECOR

7, chemin Bates

Outremont (Québec)

H2V 4V7

Tél.: (514) 270-1746

©2002, Les Éditions Quebecor

Bibliothèque nationale du Québec

Bibliothèque nationale du Canada

Éditeur: Jacques Simard

Coordonnatrice de la production: Dianne Rioux

Conception de la couverture: Bernard Langlois

Illustration de la couverture: Daryl Benson/Masterfile

Révision: Sylvie Massariol

Correction d'épreuves: Francine St-Jean

Maquette intérieure et infographie: Claude Bergeron

Nous reconnaissons l'aide financière du gouvernement du Canada par l'entremise du Programme d'Aide au Développement de l'Industrie de l'Édition pour nos activités d'édition.

Gouvernement du Québec — Programme de crédit d'impôt pour l'édition de livres — Gestion SODEC.

Imprimé au Canada

ÉCRIVEZ VOS MÉMOIRES

Guy Samson

LES ÉDITIONS
Quebecor
QUEBECOR MEDIA

*Mémoire : c'est comme l'écho qui continue
à se répercuter après que le son s'est éteint.*
Samuel Butler, *Carnets*, Gallimard.

Introduction

En 1975, Philippe Lejeune[1] définissait ainsi l'autobiographie : « Récit rétrospectif en prose qu'une personne réelle fait de sa propre existence, lorsqu'elle met l'accent sur sa vie individuelle, en particulier sur l'histoire de sa personnalité. »

Plusieurs autres théoriciens de la littérature se sont évertués à apporter toutes sortes de nuances pointues sur l'autobiographie, les mémoires, les souvenirs, le journal intime, les confessions, etc. Mais, comme j'aime les choses simples, j'ai retenu deux définitions tirées de mon vieux dictionnaire encyclopédique *Quillet* :

– *Autobiographie* : « Vie d'un individu écrite par lui-même » ;

---

1. Philippe LEJEUNE, *Le pacte autobiographique*, Paris, Points, Seuil, 1996.

– *Mémoires* : « [...] relations écrites d'événements dont l'auteur a été l'acteur, le témoin ou tout au moins le contemporain ».

Alors, vous désirez écrire vos mémoires ou votre autobiographie ? Faites-le sans vous embarrasser des nuances et laissez aux générations futures la tâche de déterminer s'il s'agit d'une autobiographie, de mémoires, de souvenirs ou d'une toute autre forme littéraire.

Contentez-vous, dans un premier temps, de vous abreuver à la source de vos souvenirs et de les rendre les plus vivants possible. C'est alors que vous serez en mesure de voir la pertinence de les laisser à la postérité, et sous quelle forme le faire. L'écriture n'est pas un processus aussi facile qu'il en a l'air ; aussi bien ne pas le compliquer en se perdant dans les méandres de considérations aussi inutiles que présomptueuses.

Par contre, je maintiens que mieux vous serez préparé, plus facilement vous serez en mesure de mener l'exercice à terme. Ce qui se conçoit clairement s'énonce tout aussi clairement.

Partie I

L'autobiographie à votre portée

L'autobiographie en tant que phénomène contemporain

> *L'autobiographie est maintenant aussi répandue*
> *que l'adultère, et nettement moins répréhensible.*
> Lord Altrincham

*D*epuis que l'écriture existe, l'autobiographie et la biographie sont à la mode. Pendant longtemps, elles ont été réservées aux gens riches, célèbres, instruits, ainsi qu'aux saints et aux individus qui avaient vécu des choses extraordinaires. Mais la situation a bien changé depuis quelques années, et ce mode littéraire s'est démocratisé au point où certains n'hésitent pas à parler de l'« autobiographisme » comme d'une maladie honteuse et à s'en moquer.

On n'a qu'à penser à *Ying-Yang Long Dong, Le tour de ma vie en 80 glands*[2], qui constitue un pastiche

---

2. Félicité TREMBLAY, alias XXX, *Ying-Yang Long Dong, Le tour de ma vie en 80 glands*, Trois-Pistoles, Éditions Trois-Pistoles, 1999.

évident de l'autobiographie de Marguerite Lescop, *Le tour de ma vie en 80 ans*. Ironie mise à part, ce livre (que je n'ai pas lu) constitue un hommage à Mme Lescop puisque le pastiche est comme l'imitation : une forme de flatterie. Dans ce cas-ci, par Marguerite Lescop interposée, ce livre vient consacrer un genre qui est là pour rester.

Il faut bien l'admettre, l'autobiographie suscite un énorme engouement, aussi bien en France qu'en Amérique du Nord. Il se passe rarement une semaine sans qu'un éditeur lance une autobiographie de quelque politicien, bandit, romancier, vedette populaire, chef cuisinier ou athlète professionnel. Ces livres ont un bon potentiel de vente parce que le grand public adore s'immiscer dans la vie des autres. N'est-ce pas d'ailleurs ce qui explique en bonne partie le succès des journaux à potins et des magazines qui étalent la vie des stars au grand jour ? !

Une seule recherche dans Internet (www.google.com) à partir du mot clé « biographie » nous livre pas moins de 284 000 liens ! Le terme « autobiographie » génère pour sa part 35 800 références. À lui seul, le site Web www.biography-center.com/ en recense 11 271 en français et 5 486 en anglais.

Autre signe de cet engouement, en France et au Québec : plusieurs maisons d'édition se sont spécialisées dans l'autobiographie et plusieurs auteurs et rédacteurs, aussi appelés écrivains publics, offrent de mettre leur plume au service de toute personne qui désire écrire son autobiographie et qui, pour diverses raisons, ne se sent pas en mesure de mener le projet à terme seule.

Comme je l'ai mentionné, la biographie et l'autobiographie ont cessé d'être l'apanage des gens riches et célèbres. On assiste donc aujourd'hui à une floraison d'autobiographies de « gens ordinaires » qui ont senti le besoin de raconter leur vie pour la faire connaître, pour laisser des souvenirs en héritage à leur descendance.

Le phénomène récent de l'autobiographie

Comment expliquer ce phénomène ? Je crois qu'il s'agit tout d'abord d'une réaction. Réaction face à l'individualisme — pour ne pas dire à l'isolement ! — qui marque les relations humaines en ce début de XXIe siècle ; réaction à cette notion que tout, dans notre société de consommation à outrance, incluant les personnes, est éphémère et jetable après usage. L'auteur de l'autobiographie vient tout simplement affirmer qu'il est né, qu'il a vécu et qu'il désire qu'il en reste quelque chose.

J'imagine aussi que, lorsque l'on gagne en âge et que l'on appréhende d'être placé à l'écart de la société dans un de ces « foyers » pour personnes âgées, où on finit rapidement par se sentir inutile, on a envie de dire quelque chose, à défaut de le crier. L'autobiographie ressemble alors à une bouteille lancée à la mer : on y met son message et on espère que quelqu'un en prendra connaissance.

On remarque par ailleurs dans Internet une quantité croissante de pages Web personnelles qui sont en réalité de courtes autobiographies, réalisées par des gens qui sentent le besoin de s'afficher en parlant d'eux-mêmes, de leurs enfants et de leurs intérêts, possiblement avec l'intention plus ou moins avouée d'engager le dialogue avec d'autres personnes qui leur ressemblent.

Des outils pour les auteurs d'autobiographies

Au Québec seulement, plusieurs maisons d'édition ont flairé la bonne affaire et ont décidé de se spécialiser dans la publication de tels ouvrages, normalement tirés à quelques exemplaires.

Ces éditeurs ne font pas que publier ; ils offrent une foule de services complémentaires, allant de la rédaction de la biographie d'une personne décédée jusqu'à l'aide technique pour les personnes bien vivantes qui éprouvent le besoin de se faire aider tout au long du processus d'écriture.

En plus de tous les cours et ateliers qui existent — aussi bien dans le secteur public que privé, aux niveaux secondaire et collégial — pour aider les gens à améliorer la qualité de leur écriture, on note l'apparition d'ateliers destinés expressément aux personnes qui désirent écrire elles-mêmes leur autobiographie, tout en reconnaissant leurs lacunes sur le plan du maniement de la plume. Dans certains cas[3], ces ateliers s'échelonnent sur une période de deux ans, à raison de deux rencontres par semaine.

Comme il y a de plus en plus de retraités qui désirent rester actifs et qui se montrent attirés par l'écriture, le nombre d'autobiographes risque d'augmenter encore. Dans notre société vieillissante, ce n'est pas demain la veille que le phénomène va se résorber et ce ne sont sûrement pas les *baby-boomers* qui vont accepter de se laisser parquer dans des centres d'accueil ou sur des plages de la Floride sans dire un mot!

3. Voyez l'association J'écris ma vie, dans la section « Les bonnes adresses et autres références », à la page 145.

Vous désirez écrire ?
Commencez par vos mémoires !

L'autobiographie est encore le meilleur moyen
qu'on ait trouvé pour dire toute la vérité à propos des autres.
Pierre Daninos

Qui n'a jamais caressé le rêve d'écrire un livre ou, à tout le moins, celui de voir son nom sur la couverture d'un ouvrage ? Comme il n'est pas donné à tout le monde de s'improviser romancier ou poète, l'autobiographie constitue le point de départ idéal. Et qui sait ? L'exercice pourra peut-être déboucher sur autre chose ! ?

Vanité ? Coquetterie ? Idée de grandeur ? Désir d'immortalité ? Besoin de régler des comptes ? Quelle que soit votre motivation, elle est aussi légitime que celle de tous les écrivains de ce monde. Et si quelqu'un, quelque part, a le droit de mettre votre vie sur papier, c'est bien vous !

Les éditeurs reprochent souvent aux auteurs qui en sont à leur premier roman leur approche trop autobiographique. Cela les irrite, même si c'est une approche tout à fait normale et légitime ; quand nous commençons à écrire, nous avons tous le réflexe de parler de ce que nous connaissons, de puiser notre inspiration dans ce que nous avons vécu.

Pour notre part, plutôt que de considérer cela comme une tare ou une maladie qu'il faut guérir à tout prix, nous allons nous attacher à en tirer le meilleur parti possible. D'emblée, on pourra toujours trouver des défauts à une autobiographie, mais pas celui d'être « trop autobiographique » !

Et vous, cher lecteur ou chère lectrice, pourquoi voulez-vous coucher vos mémoires sur papier ? Êtes-vous du genre à tenir un journal intime ? à collectionner les photographies de tous les grands événements de votre vie ? Avez-vous précieusement conservé vos vieilles lettres d'amour ? Si oui, vous êtes le candidat idéal puisque vous avez en main beaucoup de références utiles.

Vous trouvez que vous êtes trop jeune ?! Vous désirez attendre… Pourquoi pas ! Cela pourrait constituer un bon projet pour votre retraite si vous êtes encore actif, mais rien ne vous empêche de commencer à y travailler, à recueillir la matière de base, à composer un brouillon. Le processus d'écriture n'en sera que facilité quand vous vous attellerez à la tâche pour de bon.

Autobiographie, biographie, roman, mémoires...

La biographie est écrite par une personne (l'auteur) qui parle d'une autre personne (le sujet). À titre d'exemple : la biographie de Céline Dion écrite par Georges-Hébert Germain ou celle de René Lévesque[4], écrite par Claude Fournier et publiée six ans après la mort de l'homme d'État. Le sujet de la biographie peut donc être vivant ou décédé. La biographie est « autorisée » quand l'auteur a reçu une autorisation du sujet (ou de sa famille si le sujet est décédé). On peut alors présumer que le sujet (ou la famille) y a participé d'une manière ou d'une autre (prêt de documents ou photos, entrevues, etc.).

La biographie est dite « non autorisée » si elle est faite sans l'accord ou la collaboration du sujet ou si celui-ci, pour une raison ou pour une autre, a changé d'idée en cours de route. Un tel type de biographie peut s'avérer particulièrement intéressante si elle est bien documentée ou si elle révèle

---

4. Claude FOURNIER, *René Lévesque : portrait d'un homme seul*, Montréal, Éditions de l'Homme, 1993.

des choses inédites sur un personnage, tout en dépassant le stade du simple potin ou du ouï-dire.

L'autobiographie, pour sa part, est écrite par le sujet lui-même... du moins, en principe. J'ajoute « en principe » parce que de nombreuses « autobiographies » sont rédigées par des personnes (qu'on appelait des « nègres » à une époque moins « politiquement correcte ») qui ont été rémunérées pour le faire, et dont le nom n'apparaît généralement pas sur la couverture du livre.

Il y aura toujours des auteurs pour accepter de tels contrats, surtout si la paye est bonne, comme il y aura toujours des gens assez fortunés pour faire travailler les autres à leur place et ensuite laisser croire au reste des mortels qu'ils possèdent une belle plume...

L'autobiographie n'est pas un roman

Une autobiographie, surtout si elle est bien écrite, peut se lire comme un roman. Elle peut aussi être romancée, dans le sens où l'auteur prend la liberté d'enjoliver les événements pour y apparaître sous un jour plus favorable. De la même manière, rien n'oblige le sujet d'une biographie à tout raconter à son biographe... comme rien ne l'empêche d'exiger de lui qu'il retranche certains passages.

Parallèlement, un roman peut être autobiographique dans la mesure où l'auteur puise dans ses expériences personnelles pour construire son intrigue ou pour définir le caractère de ses personnages, comme Henri Millaire (à ne pas confondre avec Henry Miller !) dans son roman *L'auteur de romans érotiques*[5].

Rien n'interdit non plus de transformer sa propre vie en grand roman d'aventures si on juge qu'elle n'a pas suffisamment d'éclat. Mais dans un tel cas, pourquoi ne pas se lancer carrément dans l'écriture d'une œuvre « d'imagination » comme un roman ? !

Dans mon esprit, les mémoires portent une connotation personnelle et ne sont pas écrites *a priori* avec l'objectif d'une large diffusion, un peu à la manière d'un journal intime. Elles constituent une autobiographie avec la particularité qu'elles fouillent dans l'intimité de l'auteur tout en étant tournées vers le monde extérieur. En ce sens, le journal intime constitue un excellent point de départ pour l'écriture de mémoires ou d'une autobiographie.

L'autobiographie peut aussi être un prétexte, comme dans ce roman d'Aimé Galarneau, *Le journal de Bottine, chatte d'Espagne née au Canada*[6]. Dans

---

5. Henri MILLAIRE, *L'auteur de romans érotiques*, Outremont, Éditions Quebecor, 2000.
6. Aimé GALARNEAU, *Le journal de Bottine, chatte d'Espagne née au Canada*, Montréal, Éditions SMBi, 1995.

ce cas, c'est une chatte d'Outremont qui raconte sa vie et ses pérégrinations à l'intention des petits-enfants de l'auteur qui, on s'en doute bien, ne fait que traduire les propos de Bottine. Il en profite tout de même pour passer des messages et faire part de ses réflexions sur la vie.

Qui peut écrire son autobiographie ?

Tout le monde n'est pas René Lévesque, François Mitterrand, Pierre Péladeau, Céline Dion, les Beatles ou Maurice Richard, mais chacun d'entre nous a une vie constituée de moments forts et d'autres que l'on préférerait oublier. Vos émotions valent autant que celles de n'importe qui d'autre et, surtout, votre vie est unique.

Selon que l'on écrit avec le désir d'être traduit en 25 langues et publié dans le monde entier ou que l'on veut tout simplement léguer ses souvenirs à sa famille immédiate, les options varieront énormément. Mais vous verrez qu'elles finissent toutes par converger et qu'elles ont un dénominateur commun. Quel que soit l'objectif que vous ayez en tête, les pistes que je vous propose seront utiles. Et puis, rien ne vous empêche de changer d'objectif en cours de route si vous vous découvrez un talent fou pour l'écriture !

L'autobiographie que vous écrirez ne sera peut-être lue que par une poignée de personnes qui vous connaissent déjà. Si tel est votre objectif, utilisez le ton de la confidence puisque vous vous adressez à vos enfants et petits-enfants. Si vos aspirations sont plus grandioses, utilisez quand même le ton de la confidence…

L'intégrité, l'honnêteté et la franchise comptent aussi parmi les ingrédients essentiels d'une bonne autobiographie puisqu'elles véhiculent une impression d'authenticité. Le lecteur comprendra que vous vous mettez à nu et il saura l'apprécier, alors qu'il n'aimera pas avoir l'impression de se « faire avoir » par un auteur qui s'est inventé une vie. Et vous aurez beau utiliser les mots les plus beaux, cela finira par transpirer.

Si vous écrivez pour votre famille immédiate, rien ne vous empêchera plus tard de chercher un public plus large, comme ce fut le cas pour Marguerite Lescop, dont l'autobiographie *Le tour de ma vie en 80 ans* s'est vendue à plus de 48 000 exemplaires depuis 1996. Pourtant, lorsque Mme Lescop s'est attaquée à ce projet, elle le faisait strictement à l'intention des membres de sa famille. En passant, il s'agit d'un tirage énorme pour un livre publié ici, surtout quand on sait qu'au Québec, un livre devient un best-seller lorsque les ventes atteignent 5 000 exemplaires.

Il faut toutefois mentionner que Mme Lescop, indépendamment de la qualité de ses écrits, a eu la

e fortune de bénéficier de tribunes exception-
nelles pour promouvoir son livre et que le résultat
obtenu fait partie des exceptions, non de la règle.

Cent fois sur le métier...

Il n'y a pas 56 manières d'approcher l'autobiographie ou toute autre entreprise d'écriture : il faut se
retrousser les manches, se mettre au boulot et, surtout, faire preuve de persévérance ! Le reste réside
dans le choix des moyens de diffusion... et de beaucoup de chance.

La stratégie que je vous propose est basée sur
la persévérance, sauf qu'au lieu de vous demander
de remettre « cent fois sur le métier... », je vous
propose de diviser le processus en quatre grandes
étapes :

- **Étape 1 : la réflexion.** Mûrissez votre projet
  et commencez à élaborer votre plan de travail.
  Dotez-vous des outils qui vous seront utiles :
  dictionnaire, grammaire, magnétophone, cahiers,
  cours d'écriture, etc. ;

- **Étape 2 : la cueillette des souvenirs.** Réfléchissez
  sur les listes contenues dans la deuxième partie
  de ce livre ; allez à la bibliothèque pour y puiser
  des lectures qui font surgir des souvenirs en
  vous ; menez des entrevues avec des personnes
  que vous avez côtoyées à divers moments de

votre vie ; faites des pèlerinages aux sources et visitez les lieux qui ont marqué votre vie ; cherchez les photos de famille, etc. ;

- **Étape 3 : le brouillon.** Jetez vos premières notes sur papier, un peu pêle-mêle, au moment où vos souvenirs font surface. Laissez couler les idées et notez-les sans égard à leur enchaînement logique. Relisez-vous souvent, des souvenirs peuvent en amener d'autres ;

- **Étape 4 : la rédaction finale.** Reprenez toutes vos notes et articulez-les en un récit continu, tout en intégrant photos, dessins, coupures de journaux ou autres objets pertinents à votre propos (je vous en reparlerai plus en détail dans la troisième partie de ce livre).

Si vous avez fait cet exercice pour vos proches, votre travail est à peu près terminé. Si vous décidez d'aller plus loin et de chercher une plus large diffusion, non seulement votre travail ne se termine pas ici, mais c'est ici aussi que « cent fois sur le métier… » prend toute son importance.

À moins que vous ne soyez un génie, il vous faudra corriger, réécrire, faire lire pour obtenir des opinions, réécrire à nouveau, trouver un éditeur, soumettre votre manuscrit, attendre… et peut-être réécrire à nouveau avant de soumettre votre travail à un autre éditeur…

Les moyens de diffusion : l'approche

Différentes approches s'offrent à vous. Voici les principales.

L'approche de l'auteur. Mme X a écrit son autobiographie. Elle y a mis beaucoup de cœur. Elle est convaincue de la qualité de son travail et de la pertinence de ce qu'elle raconte, renforcée par le fait qu'on lui a toujours dit qu'elle « écrivait bien ». Son autobiographie lui a valu les louanges de quelques membres de sa famille, qui l'ont persuadée de chercher un éditeur.

Sur la foi de ces « critiques », elle soumet son manuscrit à une maison d'édition. Les mois passent… La réponse finit par arriver : « Chère Madame, malgré des qualités évidentes, blablabla… » Un refus, quoi ! Elle le soumet à une autre maison ; même réponse.

Dans ce cas-ci, Mme X aurait dû faire lire son manuscrit par des personnes autres que les membres de sa famille immédiate afin d'obtenir une opinion plus objective sur la qualité de son écrit, tant du point de vue du fond que de la forme. Après avoir pris connaissance des commentaires de ses lecteurs, elle aurait été en mesure d'en reprendre des passages et d'apporter des corrections avant de le transmettre à un éditeur. Elle aurait ainsi amélioré ses chances de succès.

Il faut savoir que l'édition de livres n'est plus ce qu'elle était. De nos jours, une quantité impressionnante d'ouvrages sont publiés sur une base mensuelle et le marché local est envahi par les éditeurs étrangers. De plus, beaucoup d'éditeurs n'ont ni le temps ni les ressources nécessaires pour lire de manière approfondie les manuscrits qui leur sont adressés, encore moins de rencontrer les auteurs pour leur faire part de possibles corrections à apporter.

Le manuscrit de Mme X n'a peut-être pas les qualités requises pour être publié tel quel, mais peut-être aussi lui manque-t-il peu de choses pour être jugé « publiable ». Un comité de lecture composé de trois personnes lui aurait évité beaucoup de frustrations.

La publication à compte d'auteur. M. Y confie son manuscrit à une maison d'édition qui fait de la publication à compte d'auteur. En d'autres termes, l'éditeur prend en charge tous les aspects techniques de la publication, allant de la révision linguistique jusqu'à la distribution, en passant par la mise en pages et l'impression.

M. Y a décidé qu'il ne voulait pas attendre le bon vouloir d'un éditeur et que son livre allait être publié « coûte que coûte ». Attention au « coûte que coûte » : la note finale risque d'être salée et peut donner des résultats plus que mitigés.

Comme le client paie la note pour tous les frais reliés à la publication, il doit s'assurer de traiter avec une maison sérieuse, sinon, il risque de se retrouver avec des centaines d'exemplaires d'un livre inintéressant, plein de fautes, mal écrit, invendable, pour lequel il aura investi des milliers de dollars.

J'ai déjà révisé les manuscrits d'un éditeur qui se spécialisait dans l'édition à compte d'auteur. Je me souviens d'avoir corrigé une brique de 500 pages dont la lecture ne présentait aucun intérêt. Le manuscrit aurait dû être amputé de moitié et réécrit au complet, mais l'auteur avait déjà payé pour l'impression de 500 exemplaires de sa « brique ». Peut-être ce client était-il fortuné ? Je l'espère pour lui.

Tout comme Mme X, M. Y aurait dû confier le travail préliminaire de première lecture à un comité, de manière à s'assurer d'une qualité minimale avant de se mettre à la recherche d'un éditeur. Tant qu'à payer, aussi bien mettre toutes les chances de son côté pour que le manuscrit respecte des normes minimales quant à la qualité de l'écriture.

L'approche du riche paresseux. M. Z embauche un auteur professionnel et lui donne le mandat d'écrire son « autobiographie ». Moyennant une somme prédéterminée, M. Z se laissera interviewer pendant un certain nombre d'heures ; il fournira photos et archives diverses, et dirigera le travail de l'auteur, qui produira ainsi un ouvrage en principe bien rédigé.

Avec ce manuscrit, M. Z, s'il le désire, pourra frapper à la porte des éditeurs et mettre son nom sur la couverture du livre éventuellement publié. Comme il est riche, il optera peut-être pour l'édition à compte d'auteur.

Enfin, à l'extrême de la précédente, l'approche que je favorise (et pour laquelle j'ai senti le besoin de faire ce livre) : **on s'investit personnellement** (c'est sa vie, après tout !), on fouille dans ses souvenirs, on cherche de vieux documents, on retrouve des personnes que l'on a côtoyées jadis, on réalise des entrevues et on écrit, sans se soucier du style à ce stade-ci. C'est le premier jet. L'aspect littéraire viendra dans un deuxième temps. Ce qui importe, c'est le fait qu'on écrit pour soi et ses proches, un peu comme si on écrivait une longue lettre sur le ton de la confidence.

Vous verrez, avec une bonne méthode et des points de repère, votre lettre prendra de l'ampleur. Pour qu'elle puisse déboucher sur un livre, il faudra au préalable avoir établi un plan de match, en d'autres termes, avoir réfléchi à la structure de son livre. Nous y reviendrons plus loin.

L'autobiographie à bon marché ?

Résumons-nous. Jusqu'à tout récemment, lorsque Monsieur ou Madame Tout-le-monde entreprenait d'écrire son autobiographie avec le désir d'en faire un livre, il ou elle n'avait d'autre choix (sauf exception) que de s'adresser à une maison se spécialisant dans l'édition « à compte d'auteur ».

Pour une somme d'argent variant en fonction du travail à réaliser, une telle maison d'édition retranscrit un manuscrit rédigé à la main, le corrige, en assure la mise en pages, l'impression et même la distribution, si tel est le désir de l'auteur. Et chaque étape implique une mise de fonds de la part de l'auteur-client.

L'approche de l'écrivain public nécessite moins d'efforts et représente une solution moins coûteuse puisqu'une foule de pigistes spécialisés dans la rédaction sont à la recherche de contrats. On engage donc quelqu'un pour écrire sa biographie en échange d'une somme d'argent et dans le cadre d'un échéancier relativement précis. On lui fournit ensuite les grandes lignes de ce que l'on désire comme produit fini et on lui donne accès à toutes sortes de documents personnels et pertinents. Cette approche est particulièrement intéressante pour une famille qui désire faire écrire la biographie de quelqu'un de décédé.

Dans la pire des hypothèses, on tombera sur un rédacteur à la plume médiocre qui laissera un manuscrit tout aussi médiocre. Mais on n'aura pas tout perdu puisque l'on aura en main un brouillon tout de même potable, qui pourra être révisé et amélioré.

Les maisons d'édition spécialisées dans l'autobiographie de personnes comme vous et moi fonctionnent un peu sur ce principe, mais elles offrent une gamme d'options taillées sur mesure, incluant les services d'un rédacteur et d'un réviseur linguistique.

Pour une somme variant de 2 000 $ à 10 000 $, le client récoltera quelques exemplaires d'un « vrai livre »[7] avec son nom sur la couverture. Certains éditeurs proposent un livre artisanal de très belle facture, qui figurera avantageusement dans la bibliothèque familiale.

---

7. Un éditeur français offre la possibilité de livrer le produit fini sur cédérom.

L'option la plus coûteuse supposera l'impression d'exemplaires en quantité suffisante pour que le livre puisse faire l'objet d'une distribution et d'une vente en librairie. Mais attention ! En plus des coûts de fabrication du livre, l'éditeur gardera un pourcentage substantiel sur les revenus de la vente. À vous de négocier serré !

Et surtout, ne perdez jamais de vue que ce n'est pas parce qu'un éditeur vous aura soutiré des dizaines de milliers de dollars que votre livre deviendra un best-seller. Au Québec, le marché est petit et chaque mois voit apparaître des centaines de nouveaux titres. À moins d'une campagne de promotion très coûteuse ou d'une chance extraordinaire, votre livre se perdra dans la masse des nouvelles parutions. Avant d'hypothéquer votre maison pour satisfaire vos ambitions littéraires, faites donc un peu de magasinage[8] et voyez ce que d'autres maisons d'édition ont à offrir dans une gamme de prix équivalente.

Si votre livre est déjà écrit, n'hésitez pas à le faire lire par des personnes qui sauront vous donner une opinion éclairée sur la valeur de votre « œuvre ». Les plus grands écrivains le font ; c'est un peu l'équivalent des *groupes test* que mettent sur pied les maisons de production de films. Elles

8. Voyez la section « Les bonnes adresses et autres références », à la page 145.

refont même parfois au complet le montage d'un film en fonction des avis recueillis.

Évitez de demander une « critique littéraire » aux membres de la famille immédiate et aux amis auxquels vous tenez. Il est fort probable qu'ils vous cacheront la vérité pour ne pas vous vexer ; s'ils la disent, il se peut fort bien que vous vous fermiez à leurs critiques.

Un *Aide-mémoires* et des aide-mémoire

Pour certains, le fait de ressasser de vieux souvenirs les rend nostalgiques. Ils se rappellent le « bon vieux temps » avec une larme à l'œil et se plaignent que plus rien n'est pareil… Dans ce cas-ci, la nostalgie est contre-productive.

Pour éviter de tomber dans ce piège, gardez à l'esprit que d'autres vont vous lire et que leur contexte est différent du vôtre. Racontez ce que vous avez à raconter et laissez à vos lecteurs le loisir de se sentir transportés dans une autre époque et de décider par eux-mêmes quel est le « bon temps » !

En fait, je vous invite à effectuer un voyage fabuleux à l'intérieur de vous-même, dans cette contrée souvent mystérieuse et mal comprise qu'est la mémoire. Pour vous y aider, je vous donnerai un ensemble de trucs visant à stimuler vos neurones et ainsi à vous permettre de vous remémorer le plus grand nombre possible d'événements, grands ou petits, heureux ou malheureux, qui font de vous ce que vous êtes aujourd'hui.

À n'en pas douter, l'écriture de vos mémoires constitue avant toute chose un geste d'amour pour vos proches et votre descendance. En vous lisant, ils comprendront mieux leurs racines ainsi que les tenants et aboutissants d'événements qui ont marqué l'histoire familiale. À votre décès, vous laisserez bien un héritage quelconque ainsi que des objets ou de vieilles photos, alors pourquoi ne pas léguer à ceux qui vous survivront une partie de votre mémoire ?

Si vous décidez ultimement de ne pas coucher ces mémoires sur papier, vous aurez à tout le moins effectué un travail d'introspection méritoire et vous aurez acquis une meilleure connaissance de vous-même. Au cours du processus, vous aurez peut-être aussi renoué des liens avec des personnes que vous aviez perdu de vue depuis longtemps !

Voir sa vie défiler devant ses yeux

On prétend que la « vie défile devant nos yeux au moment de la mort » sous la forme d'une multitude de petits *flashs* représentant les moments les plus importants de notre vie. Au lieu d'attendre l'heure ultime, pourquoi ne pas transformer en geste conscient et délibéré ces dernières visions que nous apporterons tous avec nous et dont il ne resterait rien ? Pourquoi ne pas poser un lapin à la mort en recréant consciemment cette suite de petits *flashs* ?

Tout l'exercice préparatoire à l'écriture d'une autobiographie peut très bien prendre la forme d'une thérapie (d'une autothérapie, aurais-je dû dire). Et contrairement à la mort, vous en reviendrez ! Ce n'est pas juste avant de mourir que vous pourrez changer des choses à votre vie. Il sera trop tard.

C'est en fouillant dès maintenant dans votre passé que vous serez en mesure de corriger les choses qui ont besoin d'être corrigées, d'expliquer ce qui a besoin d'être expliqué, de faire amende honorable ou de vous « péter les bretelles ».

Une dose d'humilité, oui, mais surtout pas trop !

Vous avez des doutes quant à la pertinence d'écrire vos mémoires…

Vous n'êtes pas célèbre. Vous n'êtes pas riche. Vous ne croyez pas que votre vie vaut la peine d'être racontée, que ça n'intéressera personne. Prenez un peu de temps pour vous remémorer tous les jalons de votre existence, en ordre chronologique ; le jeu en vaut la chandelle, quelle que soit l'issue.

La première fois que j'ai pris connaissance de ma généalogie familiale et que je n'y ai pas découvert de grands héros auxquels j'aurais pu m'identifier, j'ai été très déçu, mais je n'en ai pas perdu pour autant mon intérêt pour mes ancêtres.

Si l'exercice ne vous donne pas l'irrésistible envie d'écrire votre biographie, il vous permettra à tout le moins de fouiller dans des recoins de votre mémoire et de vous souvenir de choses que vous croyiez enfouies à jamais.

Mais avant de commencer, soyez prévenu : en plus des possibles élans de nostalgie, cette recherche dans les souvenirs peut s'avérer douloureuse dans certains cas, exaltante dans d'autres. Les souvenirs (conscients et inconscients) qui se cachent dans les replis de nos neurones ne sont pas tous heureux. Certains peuvent même constituer des traumatismes qui risquent de ressortir comme autant de mauvaises surprises.

L'important, c'est d'être conscient de cette possibilité dès le départ et de se dire que toute découverte aussi « désagréable » qu'elle soit pourra contribuer à faire de nous une meilleure personne. Dans des cas extrêmes, le fait de se remémorer tel événement désagréable et d'en parler peut avoir l'effet d'une thérapie ou d'une confession : on se sent tellement plus léger après !

Les outils de base de l'autobiographe

L'autobiographie, comme toute autre forme d'écriture d'ailleurs, demande un investissement personnel important, surtout pour ce qui est du temps. Vous y jouerez en quelque sorte le rôle d'un journaliste qui effectue une enquête sur quelqu'un qui n'est autre que vous-même. N'allez pas croire que ce soit une mince tâche, surtout si vous la faites avec sérieux et objectivité.

Plus concrètement, cette investigation pourra exiger des déplacements, des visites, des appels interurbains, des rencontres et des interviews, des fouilles dans des archives, des après-midi à la bibliothèque et, surtout, des heures et des heures d'écriture, de relecture et de réécriture.

Vous devrez vous doter d'outils pour prendre des notes ou enregistrer des conversations. Il vous faudra aussi lire, fouiller dans de vieux albums de photos et, qui sait, renouer contact avec de vieilles connaissances !

Vous n'avez pas la plume d'un écrivain ? ! Ne vous laissez pas intimider. Ce qui importe dans un premier temps, c'est la qualité des souvenirs, pas celle de votre plume. Quand vous aurez terminé le travail préliminaire, le brouillon, il sera toujours possible de trouver les ressources, au sein de votre famille ou à l'extérieur, pour « enrober » le tout.

Si vous aviez idée du nombre de journalistes et de chroniqueurs dans les journaux et les magazines qui ne savent pas écrire, cela aurait sur vous un effet apaisant et vous permettrait de comprendre l'importance du travail des correcteurs et des réviseurs !

Même si vous n'avez jamais écrit, peut-être la richesse de vos souvenirs suscitera-t-elle le désir d'écrire vous-même vos mémoires ? Pourquoi pas ! Si vous êtes à la retraite et disposez de temps, il existe toutes sortes de cours, d'ateliers et de ressources qui pourront vous aider à affûter votre plume !

Pour ce qui est du support, je suggère un cahier d'assez grande dimension, dans lequel vous aurez suffisamment de place pour coller des photos ou toute autre illustration. Optez pour un cahier de bonne qualité, à couverture rigide, qui saura résister à l'usure du temps avec un minimum d'entretien.

Si vous avez un ordinateur, amusez-vous gaiement en faisant vous-même la mise en pages de votre petit chef-d'œuvre. Et n'oubliez pas les illustrations !

Les mémoires ne sont pas qu'une liste d'épicerie !

Des mémoires dignes de ce nom ne sont pas une liste d'épicerie, même si le plan de travail et les listes de thèmes que je vous proposerai plus loin peuvent contribuer à transmettre une telle impression. Je ne vous demande pas de faire un exercice cérébral et d'aligner des dates, des chiffres et des noms ; je veux savoir ce que représentent vraiment pour vous ces informations ; si elles ne sont pas interprétées par le principal intéressé, elles restes froides et sans grande signification. L'idée, c'est d'exprimer les sentiments, les émotions et les sensations que vous avez ressentis à ces occasions. Comme le disait Voltaire : « Ce qui touche le cœur se grave dans la mémoire. »

Pour vous aider à vous souvenir, je vous présenterai des listes d'objets, d'événements et de personnages sur lesquels je vous demanderai de réfléchir. Installez-vous confortablement, imaginez l'objet ou l'événement et laissez votre esprit vagabonder en toute liberté… Par associations d'idées, il vous entraînera dans des endroits insoupçonnés !

Voici un exemple à l'intention des plus âgés. La mention « Deuxième Guerre mondiale » vise à vous rappeler un événement marquant. Je ne désire pas savoir si vous connaissez les dates les plus importantes ou les noms des principaux protagonistes ;

je désire que vous me fassiez revivre cette époque à travers vos souvenirs les plus intimes.

Où étiez-vous et que faisiez-vous au moment de son déclenchement ? Avez-vous été appelé sous les drapeaux ou avez-vous été exempté du service militaire ? Dans l'un ou l'autre cas, où étiez-vous ? Que faisiez-vous ? Comment avez-vous vécu cette période ? Y avez-vous perdu des parents ou des amis ? Si oui, en quelles circonstances ? Comment avez-vous accueilli l'armistice ?

Quelles ont été les conséquences de cette guerre sur votre style de vie ? Comment vous teniez-vous informé de ce qui se passait en Europe ou dans le Pacifique ? Comment avez-vous réagi à l'entrée en guerre des Américains ? au lancement de la première bombe atomique sur Hiroshima ?

Jetez le tout pêle-mêle sur des feuilles de papier en essayant d'être le plus honnête possible, quitte à retrancher des passages plus tard. Rien de ce que je pourrais vous dire ne saura vous convaincre de parler de vos « mauvais coups » ; c'est à vous de décider quelle image vous désirez laisser de vous.

Prenons un autre exemple concret : si, comme beaucoup de gens qui étaient opposés à la conscription, vous vous êtes enfui pour ne pas aller à la guerre, parlez-en ! C'est le temps d'expliquer vos motivations. J'ai connu des citoyens fort honorables qui l'ont fait pour des raisons d'ordre moral, politique ou autre. Avec 50 ans de recul, vos enfants et vos petits-enfants seront aptes à comprendre.

L'écriture des mémoires peut servir à exorciser les vieux démons mais, encore là, rien ne vous oblige à parler des choses que vous tenez à garder secrètes.

Les mémoires font partie du patrimoine

J'espère vous avoir convaincu que la rédaction de mémoires n'est pas un exercice prétentieux réservé aux gens riches et célèbres. Il est tout à fait faux de croire que seuls les personnages appartenant au jet-set ont mérité l'insigne privilège de raconter leur vie dans le menu détail et de publier des briques de 500 pages et plus (parfois en plusieurs tomes, parfois fort ennuyantes) sur le sujet.

Vos mémoires pourront être écrites à la main et pourront être colligées dans un modeste cahier qui fera partie intégrante du patrimoine d'une famille. Vous pourrez les léguer à vos descendants dans un ouvrage qui contiendra aussi bien du texte que des images, un peu à la manière d'un album de vieilles photographies qu'il est si agréable à consulter.

Ces vieilles photos jaunies dévoilent souvent des bribes difficiles à imaginer du temps passé. Les physionomies… les coupes de cheveux… les vêtements… les automobiles… les événements... Autant d'éléments qui nous montrent qu'il s'agit là d'une époque révolue, très différente de celle dans laquelle on vit aujourd'hui.

Ne pourrait-on pas décupler le plaisir en y ajoutant plus de détails, plus de vécu ? ! Si je regarde une photographie du mariage de mes parents, j'y vois l'image d'un homme et d'une femme qui, je le présume, s'aiment et ont décidé d'unir leurs destinées pour le meilleur et pour le pire.

Une date et quelques notes au dos de la photo m'en apprennent déjà un peu plus. C'est pour moi un beau souvenir, mais ça ne dit pas grand-chose à qui n'a pas connu mes parents ou à mes descendants.

Par contre, si je la regarde attentivement, la vieille photo défraîchie suscite des questions auxquelles elle ne peut répondre. Une image a beau valoir mille mots, elle ne les remplace pas complètement.

Les photos parlent, mais elles ne disent pas tout

Il y a toute une histoire derrière la photo de mes parents : quel âge ont-ils en cette journée de 1949 ? Comment se sont-ils rencontrés ? Était-ce le grand amour ? Que faisaient-ils dans la vie ? Comment s'est déroulée la journée ? et le voyage de noces ? Poser ces questions, c'est déjà ouvrir la porte sur tout un monde de découvertes intéressantes.

Par exemple, quand j'ai demandé à ma mère pourquoi elle ne s'était pas mariée en blanc, elle m'a expliqué qu'elle avait dû se contenter d'une vieille robe défraîchie que sa mère avait rafistolée de son mieux, faisant les derniers ajustements quelques heures à peine avant la cérémonie. Non, ce ne fut pas un « grand » mariage, comme on dit ; mais les parents de ma mère ont fait leur « gros possible ».

Photo 1 : Mes parents sortant de l'église (avril 1949).

Cette seule photo et les questions qu'elle a soulevées chez moi ont incité ma mère à fouiller dans ses souvenirs. Si mon objectif avait été d'écrire sa biographie, j'aurais eu avec le mariage suffisamment de matière pour un chapitre ! Et à mesure qu'elle me racontait tout cela, je prenais mentalement des notes qui m'amenaient à lui poser des questions supplémentaires.

Pourquoi son père avait-il quitté sa Gaspésie natale pour venir s'établir dans les Bois-Francs ? Pourquoi étaient-ils pauvres ? Au fait, que faisait mon grand-père dans la vie, à part m'amener à la pêche l'été ? Déjà, à partir d'une seule photographie, nous avions pratiquement assez de matière pour un livre !

À mesure que ma mère répondait à mes questions, j'en apprenais un peu plus sur mes grands-parents et sur les parents de mes grands-parents ! J'aurais tellement aimé que ceux-ci aient écrit leurs mémoires !...

Situer son histoire dans un contexte

Pour prendre toute sa valeur, votre recueil de mémoires doit être situé dans un contexte. Cela signifie que vos mémoires doivent à la fois faire appel à ce qu'il y a de plus intime en vous tout en étant tournées sur le monde extérieur, de manière à mettre les deux en relation. De cette façon, le lecteur en apprendra autant sur votre époque que sur vous et il sera beaucoup mieux en mesure de comprendre tous les aspects de votre vie s'il peut situer les choses dans leur juste contexte.

Pour mieux le définir, ce contexte, je vous propose l'exercice suivant : en guise de premier chapitre à votre autobiographie, effectuez une courte recherche sur la vie de vos parents et de vos grands-parents afin de mieux connaître les personnes qui vous ont donné la vie ainsi que le monde dans lequel ils évoluaient eux-mêmes.

Ainsi, lorsque vous parlerez du « jour un » de votre existence, le lecteur aura déjà un aperçu du contexte familial, social et politique dans lequel vous avez vu le jour.

Si vous êtes né pendant la Crise, cela a certainement eu des répercussions sur la vie de vos parents, donc sur la vôtre. De la même manière, selon que vous êtes né et avez grandi au sein d'une famille ouvrière ou bourgeoise, dans un milieu très religieux ou pas du tout, que vous avez été enfant unique ou que vous avez eu 16 frères et sœurs, tout cela a contribué à forger votre personnalité.

D'ailleurs, si vous êtes issu d'une grosse famille, n'hésitez pas à partager vos souvenirs avec vos frères et sœurs. Un tel échange en groupe permet de jeter plusieurs éclairages sur un même événement et de constater comment les souvenirs peuvent différer d'une personne à l'autre.

Peut-être parce que je suis enfant unique, je trouve savoureux d'entendre les sœurs et frères de ma compagne (ils sont 16 en tout !) partager leurs souvenirs d'enfance lors de rencontres familiales. Il suffit que quelqu'un lance une idée pour que ça se transforme en feu roulant. L'un ne se souvient plus de tel événement ? Qu'à cela ne tienne ! Deux, trois, cinq autres s'en rappelleront, chacun ayant retenu des détails parfois très différents, chacun apportant une coloration particulière au récit.

La structure de l'autobiographie

Pour la structure de son livre, on peut utiliser les grandes étapes de la vie : enfance, adolescence, âge adulte et vieillesse comme autant de grands chapitres. Ajoutez à cela ce qui précède votre naissance et vous avez déjà cinq chapitres que vous pourrez subdiviser en autant de sous-chapitres que vous le désirerez, au gré de l'importance que vous accordez à des événements en particulier.

En guise d'introduction, je vous suggère d'expliquer votre démarche à vos futurs lecteurs ainsi que pourquoi vous désirez leur laisser vos mémoires par écrit.

Mais de grâce, à moins que vous n'ayez la plume de Victor Hugo, évitez l'embûche de vouloir tout raconter dans le menu détail. Vous risquez de vous perdre ou de perdre vos lecteurs. De plus, vous risquez de ne jamais terminer ce que vous aurez entrepris.

Je ne connais pas Paul Juon, sauf pour le peu que j'ai lu à son sujet dans Internet en faisant mes recherches pour ce livre. Mais une chose est certaine, même si cet homme a eu une vie bien remplie, je suis persuadé qu'il n'y aura jamais de bousculade à la bibliothèque pour lire sa *Grande Autobiographie en sept tomes*.

Et comme le disait si bien un auteur dont j'oublie le nom : *rien n'est plus triste qu'une personne* qui ne vit pas sa vie parce qu'elle est trop occupée à vivre son autobiographie.

La mémoire est une faculté qui s'exerce!

Vous croyez que vous n'avez pas de mémoire ? C'est possible mais peu vraisemblable. Par contre, il est fort probable que vous n'ayez pas de mémoire parce que vous ne l'exercez pas suffisamment !

Les aide-mémoire que je vous propose tout au long de ce livre sont des exercices qui ont justement pour but de vous aider à vous souvenir. Mine de rien, souvent à partir du principe des associations d'idées, un événement, un personnage et même un objet usuel peuvent déclencher un souvenir, qui, en retour, peut en déclencher un autre.

L'important, c'est de laisser vagabonder son esprit et de ne refuser aucune des suggestions qui s'offrent à lui. Ce procédé de libre association peut conduire à des découvertes heureuses. Dans un premier temps, notez les grandes lignes des souvenirs qui font surface, histoire de ne pas les perdre.

Dans un deuxième temps, revenez sur chacun de ces souvenirs et laissez-vous porter encore plus loin.

Certaines personnes auront plus de facilité à se remémorer des choses en prenant de longues marches dans la nature ; d'autres préféreront écouter calmement de la musique dans une atmosphère feutrée ; d'autres encore auront besoin de stimuli comme des mots ou des images.

Les listes que j'ai compilées sont issues de mon propre univers, de mes souvenirs à moi. Ce sont celles que j'utiliserai quand j'écrirai mes mémoires. Dans ce sens, elles ne peuvent pas être exhaustives et convenir à tout le monde. Sentez-vous donc tout à fait libre de compléter chacune d'elles en ajoutant des objets, des événements ou des personnes qui collent de plus près à votre réalité ou à l'époque dont vous désirez parler.

Un objet quelconque peut éveiller des souvenirs différents chez cinq personnes différentes. Je connais des gens qui n'ont pas été marqués de manière particulière lorsqu'ils ont vu une image s'animer pour la première fois sur l'écran d'un téléviseur, alors que d'autres peuvent m'en parler pendant des heures, se rappelant de la forme, de la couleur, de la marque de l'appareil ainsi que des émissions qui étaient alors présentées.

Le corps et les sens comme aide-mémoire

Le corps a une mémoire. Non seulement il peut porter des cicatrices visibles, résultat d'accidents plus ou moins graves, mais il porte aussi d'autres souvenirs qui ne demandent qu'à revenir dans le conscient.

Par exemple, il y a des personnes qui sont tout à fait incapables de s'abandonner aux mains d'un massothérapeute parce qu'elles n'aiment pas être touchées, alors que d'autres ont le réflexe de pleurer abondamment pendant un massage parce que toutes sortes de souvenirs enfouis dans les replis de leurs corps font surface.

Tout comme chacun des muscles de notre corps a une mémoire, la vue, l'ouïe, l'odorat, le toucher et le goût emmagasinent des bribes d'information sur notre vécu et sont susceptibles de faire surgir des souvenirs.

Ainsi, les odeurs constituent d'excellents véhicules à souvenirs. Sans prendre plus d'une minute pour y réfléchir, je puis facilement me rappeler l'odeur du rôti de palette de ma grand-mère, l'odeur de poussière que dégageait la banquette arrière de la Chevrolet 49 de mon grand-père ou encore l'odeur caractéristique d'une cave poussiéreuse.

Et chacune de ces odeurs me permet de mettre le doigt sur d'autres souvenirs précis, comme la première fois que j'ai vu les Beatles à la télévision, après un souper chez mes grands-parents, les voyages de pêche que j'effectuais avec mon grand-père maternel ainsi que la caverne aux trésors que représentait pour mes cousins et moi le sous-sol de la maison de mon grand-père paternel.

Je pourrais aussi vous parler longuement de l'odeur caractéristique de l'attisée que l'on allume dans un poêle à bois lors des matins frisquets d'hiver, du foin fraîchement coupé, des légumes provenant tout droit du jardin, d'un match de baseball disputé dans un stade en bois, autour d'une surface naturelle[9], de la terre fraîchement retournée, du bord de mer quand le vent se lève, de la forêt après la pluie, d'une averse sur la toile d'une tente plantée en pleine forêt...

D'autres auront plus de facilité à se rappeler les sensations, agréables ou désagréables : la chaleur du soleil sur la peau, le crissement d'un ski glissant sur la neige, le souvenir d'une cuisante fessée, le goût d'un fruit, la vue d'une couleur, d'un chien ou d'un objet, l'écoute d'une mélodie ou du son d'un instrument de musique, etc.

Et puisque l'on aborde le corps et les sens, n'hésitez pas à parler de sexualité ou de sensualité si vous vous sentez à l'aise avec le sujet. N'oubliez pas que vos lecteurs présents et à venir n'ont plus tellement de tabous sur le sujet... je dirais même

9. Dans le temps où le baseball était le baseball !

qu'ils risquent d'être intéressés de connaître les des-sous de votre vie sexuelle ou sentimentale. Comme pour toutes les suggestions que je vous ai faites jusqu'ici, sentez-vous tout à fait libre de ne pas en parler si cela vous contrarie. Là comme ailleurs, ne trahissez pas ce que vous êtes fondamentalement.

Comment se souvenir

En plus de la réflexion et des listes que vous trou-verez dans la deuxième partie de ce livre, je vous suggère de faire des tours à la bibliothèque. Con-sultez des livres dans lesquels vous trouverez des illustrations d'objets ou encore, si vous pouvez en trouver, de vieux catalogues ou de vieux journaux.

Tournez les pages lentement et laissez-vous imprégner de tout ce que vous voyez. Quelque chose finira bien par déclencher un déclic dans votre mémoire…

D'ailleurs, quand vous consulterez « mes » listes, ne vous contentez pas de regarder seulement les mots. Essayez de faire de la visualisation. Les images constituent des stimuli plus puissants que des mots écrits à la queue leu leu sur du papier. Le mot « marteau » de ma liste n'a aucun poids, aucune forme particulière. Mais le fait d'en voir un qui a une forme précise aura un pouvoir évocateur beau-coup plus puissant.

Dans la série des outils disponibles, je pourrais bien sûr vous entretenir des bienfaits de l'hypno-thérapie, de la méditation ou d'autres formes de thérapies, mais je ne crois pas que cela soit indis-pensable, au contraire.

L'essentiel, dans ce processus, c'est le sérieux que vous y mettrez et l'intégrité dont vous ferez preuve vis-à-vis de vous-même et, partant de là, vis-à-vis de vos futurs lecteurs. Il n'en tient qu'à vous de vous montrer tel que vous êtes ou de revê-tir la cape de Superman ou de Wonder Woman.

Voilà, votre travail d'introspection et de retour sur votre passé débute à la page suivante. À moins que vous n'ayez déjà mûri la chose, prenez quelques jours ou quelques semaines pour réfléchir à l'ap-proche que vous allez adopter et faites des exercices d'échauffement (les aide-mémoire qui suivent) avant de vous mettre pour de bon sur la piste de vos sou-venirs.

Avant de commencer à prendre connaissance de mes listes, feuilletez le reste du livre et lisez les titres des chapitres. S'il vous convient mieux de commencer par l'aide-mémoire 15, n'hésitez pas à le faire. Lisez ces listes dans l'ordre qui vous plaira ou qui vous conviendra le mieux.

Vous remarquerez aussi que chaque liste est présentée en ordre alphabétique, qu'il s'agisse de personnes ou d'événements. Par conséquent, cela élimine le risque de subjectivité de ma part et la possibilité que je « favorise » des éléments par rapport à d'autres.

Au gré de votre lecture, commencez à prendre des notes dans un cahier brouillon, sans trop entrer dans le détail dans un premier temps. Peu à peu, à la manière d'un archéologue avec sa petite brosse, vous enlèverez couche de poussière par-dessus couche de poussière et vous finirez par faire les découvertes vraiment importantes, celles sur lesquelles vous aurez envie d'écrire.

Partie II

Aide-mémoire en tous genres

GRANDS
ÉVÉNEMENTS

V oici une liste (très incomplète) de grands événements du XXe siècle. Ceux-ci ont marqué l'histoire du monde, du Canada et du Québec. Si vous y réfléchissez bien, vous verrez qu'ils ont peut-être aussi marqué votre vie, directement ou indirectement.

Quand j'étais adolescent, un de mes patrons refusait de croire que les Américains avaient marché sur la Lune. Pour lui, c'était une impossibilité : on ne pouvait pas faire le voyage de la Terre à la Lune, encore moins y débarquer ; fin de la discussion !

Une trentaine d'années plus tard, de nombreuses personnes se souviennent précisément de ce qu'elles faisaient à ce moment-là tellement l'événement avait été médiatisé. Et vous, que faisiez-vous ? Comment avez-vous réagi ? Quel souvenir en gardez-vous ?

Il en est ainsi pour une foule d'événements qui ont pu vous marquer, vous impressionner ou vous laisser froid. Et bien sûr, des événements qui ne se figurent pas dans la liste ont aussi pu vous marquer. Ajoutez-les et parlez-en !

Assassinat de John F. Kennedy

Bombe atomique sur Hiroshima

Chute du mur de Berlin
Conscription
Coupe(s) Stanley
Crise d'octobre
Crise de Cuba

Deuxième Guerre mondiale

Expo 67

Grippe espagnole
Guerre de Corée
Guerre du Golfe

Guerre du Vietnam

Jeux olympiques de 1976

Krach de 1939

Loi des mesures de guerre
Loi du cadenas

Manic (construction du barrage)
Montée du fascisme en Italie
Montée du nazisme en Allemagne
Mouvement féministe

Nationalisation de l'électricité

Phénomène des ovnis
Premier homme sur la Lune
Première Guerre mondiale

Référendum(s)
Refus global
Révolution tranquille

Séries mondiales

Woodstock

D'autres événements importants ont eu un impact majeur sur la vie quotidienne : l'électrification des campagnes, l'arrivée de la télévision, etc.

Qui peut écrire son autobiographie ?

Il y a quelques années, alors que je faisais des recherches pour la rédaction d'un autre livre[10], je suis tombé sur les résultats d'une enquête réalisée en France auprès de personnes âgées. Celles-ci étaient invitées à nommer les choses qui avaient eu le plus d'impact sur leur vie depuis le début du siècle, à partir d'une liste qui leur était fournie. Les répondants avaient la possibilité de donner plus d'une réponse. Voici les résultats recueillis.

Les équipements ménagers	78 %
La télévision	72 %
Le téléphone	69 %
Le chauffage central	52 %
L'automobile	48 %
La radio	33 %
Les vaccins	32 %
Les antibiotiques	29 %
La pilule contraceptive	24 %
L'avion	23 %
L'ordinateur	15 %
Le cinéma	9 %

Et vous, cette liste vous suggère-t-elle quelque chose ? Y retrouvez-vous des éléments qui ont eu un impact majeur sur votre façon de vivre ou de voir le monde ?

---

10. Guy SAMSON, *Où ? Qui ? Quand ? Comment ? Pourquoi ?*, Outremont, Éditions Quebecor, 2000.

PERSONNAGES MARQUANTS

E n plus des grands événements qui ont marqué le XXe siècle, beaucoup de personnalités se sont illustrées, tant sur le plan international que national. Certaines éveillent-elles des souvenirs précis chez vous ?

Pour ma part, je me souviens assez bien de la journée de l'assassinat de John F. Kennedy et de toute l'atmosphère de « fin du monde » que cet événement a engendrée. À l'école où j'étudiais, on nous avait rassemblés dans la grande salle de récréation pour nous annoncer la nouvelle et pour nous faire prier.

Encore une fois, si ma liste vous paraît incomplète, n'ayez aucune hésitation à y ajouter des noms qui vous semblent particulièrement significatifs, que ce soit dans le domaine des arts, de la politique, de la vie religieuse ou autre.

André Laurendeau

Brigitte Bardot
Bob Dylan

Charlie Chaplin
Che Guevara

Dali
De Gaulle

Fidel Castro
Frère Untel

Gandhi
Guy Lafleur

Henry Miller
Hitler

Jack Kerouac
Jean Drapeau
Jean-Paul Riopelle
Jean-Paul II
Jean XXIII

Marlène Dietrich
Martin Luther King Jr.
Marilyn Monroe
Maurice Duplessis
Maurice Richard
Mère Teresa
Mickey Mouse

Nelson Mandela
Pablo Neruda

Édith Piaf

Pablo Picasso
Pierre Elliott Trudeau
Pie VI

René Lévesque

Staline

Winston Churchill

OBJETS USUELS

*L*es objets usuels peuvent ressusciter des souvenirs. Par exemple, toute la trame du film *Citizen Kane* repose sur le mot « Rosebud », prononcé par le milliardaire au moment de sa mort. À partir de ce seul mot, un reporter va remuer mer et monde pour tenter d'en comprendre la signification.

Toute sa vie, le milliardaire Kane a travaillé pour bâtir une fortune colossale. Il a géré un empire fondé sur les journaux ; il a essayé de se faire élire à la présidence des États-Unis et fait construire un palace somptueux rempli d'œuvres d'art, mais au moment de sa mort, c'est « Rosebud » qui lui est revenu à l'esprit.

Pour le reporter, « Rosebud » demeura un mystère. Mais heureusement pour les cinéphiles, la dernière image du film nous montre l'objet en question. Dès lors, sachant qu'il s'agissait d'un petit traîneau avec lequel Kane jouait dans son enfance, il nous est possible de reconstruire le film à la lumière de cet élément.

Comme Kane, nous avons tous et toutes conservé des souvenirs privilégiés associés à des objets usuels.

J'ai inséré dans cette liste des objets religieux. Pour la plupart des gens de 50 ans et plus, ceux-ci étaient beaucoup plus présents dans la vie de tous les jours, au point d'être des objets usuels.

Quand j'étais petit, on me faisait porter médailles et scapulaires, et j'avais toujours un chapelet sous mon oreiller. C'était aussi l'époque où un crucifix trônait dans chaque pièce, sans parler de ces peintures plutôt lugubres représentant l'enfer !

Accessoire vestimentaire (chapeau, cravate, ceinture, chaussures, broche, collier, etc.)
Album de photos
Appareil électroménager

Appareil photo
Appareil radio
Appareil téléphonique

Ballon
Berceau
Bibliothèque
Bijou
Boîte de chocolats
Bouilloire
Bouteille de vin
Broches à tricoter
Brosse à dents

Canif
Chaise berçante
Chapelet
Crayon, stylo, plume
Crucifix

Fauteuil ou canapé

Journal

Livre

Machine à coudre
Machine à écrire
Médaille, scapulaire

Peigne
Peinture
Perruque
Petit catéchisme

Photographie
Planche à repasser
Poêle à bois
Pompe à eau

Téléviseur
Tourne-disques
Trophée

Photo 2 : Cette photo réveille une foule de souvenirs précieux, allant des personnes présentes jusqu'au vieil appareil radio, en passant par les cadres suspendus sur le mur en lattes et la « dépense » où étaient conservés les aliments.

LIEUX
ET ENDROITS

Mon grand-père maternel, sa première épouse et sa deuxième épouse étaient tous originaires de la vallée de la Matapédia. Chaque année, mon grand-père faisait une tournée de la parenté dans ce merveilleux coin de pays. Pendant plusieurs années, au cours de mes vacances d'été, j'ai accompagné mes grands-parents dans un périple incroyable qui nous conduisait de Plessisville jusqu'à Amqui, en passant par Sainte-Lucie-sur-mer et Saint-Simon.

Avec l'actuel réseau routier, ce voyage peut aujourd'hui paraître anodin, mais au milieu des années 50, dans une vieille Chevrolet, je vous assure qu'il s'agissait de toute une expédition ! J'étais fasciné par le nom des villes et des villages : Rivière-du-Loup, Trois-Pistoles, Causapscal…

Mon grand-père me racontait l'histoire de chaque ville et village, d'où chacun tirait son nom, parsemant le tout de légendes locales, dont celle de l'église de tel village, construite avec l'aide du Diable ; Dieu lui-même l'avait envoyé sur terre sous forme d'un gros cheval noir doté d'une force extraordinaire…

Bien que le souvenir soit flou, je me rappelle tout de même la première fois que je me suis retrouvé les deux pieds dans les galets, devant l'immensité de la « mer ». Je sais bien que c'était le fleuve mais dans le temps, comme je ne voyais pas l'autre rive, ce ne pouvait être rien d'autre que l'océan !

Photo 3 : Vacances familiales dans un chalet loué au bord d'un lac.

Et ce n'est surtout pas mon grand-père, avec son sourire en coin et son regard malicieux, qui m'aurait empêché d'entretenir cette illusion.

Aéroport
Atelier

Bord de mer
Bord de rivière
Cabane à sucre
Chalet
Cinéma local
Colonie de vacances

École
Église
Endroits où je jouais quand
   j'étais petit
Étable

Fleuriste
Forêt

Garage
Gare
Grange
Grenier

Jardin

Lieu de villégiature

Maison(s)
Maisons de mes grands-parents

Parc
Patinoire
Poulailler
Presbytère

Quai

Restaurant

Sacristie
Salle d'étude
Salle de danse
Salle paroissiale
Salon funéraire

Tabagie
Taverne
Terrain de jeux

Aide-mémoire 5

PERSONNES

À moins d'avoir vécu en ermite, nous avons passé une bonne partie de notre vie à entrer en contact avec des personnes, certaines nous ayant marqué plus que d'autres.

Parents, grands-parents, oncles, tantes, camarades de jeux et d'école, amis, relations d'affaires et autres ont influencé notre vie à divers degrés ou, à tout le moins, peuvent nous aider dans notre quête de souvenirs.

Souvent, la première occurrence d'un événement laisse des traces plus profondes que les suivantes et s'imprègne dans le cerveau de façon quasi indélébile. Réfléchissez aux premières qui ont jalonné votre vie et voyez s'il vous est possible d'en tirer des détails.

Vous rappelez-vous votre première journée d'école ? le premier Noël dont vous avez été conscient ? votre premier vélo ? votre premier amour ? votre première automobile ? votre premier emploi ?

Quels sont les souvenirs que vous pouvez extirper de la liste qui suit ? Dans le cas des camarades de classe et des collègues de travail, par exemple, amusez-vous à dresser la liste la plus complète possible. Faites de la visualisation et essayez de revoir leurs visages ou certaines situations qui vous ont réunis.

Photo 4 : Deux fois par année, mon grand-père louait un taxi de type limousine. Toute la famille s'y entassait pour monter à Québec visiter Jeanne d'Arc, sa fille religieuse.

Au fait, que sont-ils devenus, ces amis ou collègues ? Les voyez-vous encore ? Savez-vous seulement où ils sont ? Non ? Alors quelles sont les raisons qui vous les ont fait perdre de vue ? Vous êtes-vous brouillé avec certains de ceux-ci ? Pourquoi ? N'auriez-vous pas envie de les revoir ?

Permettez-moi une petite anecdote. Lors des funérailles de mon père, il y a deux ans, j'ai été abordé par une vieille dame très digne. Elle s'est présentée à moi ; c'était une de mes premières institutrices. Je ne l'avais pas vue depuis près de 50 ans et vous savez quoi ? Même si elle ne s'était pas présentée, je l'aurais probablement reconnue ! Toujours est-il que l'occasion ne s'y prêtait pas, mais j'aurais beaucoup aimé avoir plus de temps pour jaser avec elle.

Camarades de classe
Camarades de jeux
Collègues de travail
Conjoint ou conjointe
Cousins et cousines

Enfants

Frères et sœurs

Écrivez vos mémoires —▷

Oncles et tantes

Partenaires d'affaires

Parents d'amis

Professeurs

Voisins et voisines

Aide-mémoire 6

ANIMAUX

L a plupart d'entre nous ont côtoyé des animaux. Pour certains, ils constituaient (ou constituent) de fidèles compagnons. Les personnes qui ont grandi à la campagne ont probablement des souvenirs rattachés à des animaux de la ferme.

Pour ma part, je conserve trois souvenirs d'animaux en particulier : l'immense percheron de mon oncle Raoul, aussi gros qu'un éléphant (à mes yeux d'enfant, naturellement) et qui faisait office de tracteur pour tous les travaux de la ferme ; les vaches que j'allais chercher avec mon cousin et mes cousines dans le fin fond du champ pour la traite ; Fido (photo 5), qui appartenait au même oncle Raoul et qui me suivait partout lorsque je passais mes étés à la campagne.

Photo 5 : Avec mon ami Fido devant la vieille maison d'été de mon grand-père, dans laquelle je suis passé maître dans la chasse aux souris, activité qui me dégoûterait un peu aujourd'hui.

La première fois que j'ai dû « affronter » Fido, il s'est dressé sur ses pattes arrière et a posé ses pattes avant sur mes épaules pour me lécher le visage. Comme tout chien de ferme, qui vivait dehors et qui couchait dans une niche ou dans l'étable, il était sale et il puait terriblement. Après ce premier contact peu convaincant, il a dû déployer des trésors de gentillesse pour que je finisse par l'accepter comme compagnon.

Et vous, avez-vous des souvenirs liés aux animaux domestiques ou aux animaux de la ferme ?

Quel type de relation aviez-vous avec eux ? Étiez-vous du genre cruel ou du genre doux ? Et les insectes ? Avez-vous des souvenirs liés aux insectes ?

Moi, je me souviens que j'aimais particulièrement donner la chasse aux sauterelles, les prendre dans ma main pour les observer de près, sans leur faire de mal. Par contre, j'ai toujours détesté les araignées et autres bestioles du genre ! J'avais des relations très conviviales avec les coccinelles puisqu'il y en avait beaucoup dans le carré réservé aux pommes de terre, dans le grand jardin de mon grand-père.

Au sujet des araignées, ma première blonde m'a raconté un jour qu'un de ses frères, quand elle était petite, s'amusait à mettre des araignées dans sa bouche. Vous savez, celles qui ont un petit corps rond et de très longues pattes, que l'on trouve souvent sous les cordes de bois ? Il prenait soin de ne pas les écraser et laissait dépasser les pattes entre ses lèvres. Naturellement, les pattes gigotaient au gré de l'énergie que l'araignée mettait à se libérer. Ensuite, il courait après ses jeunes sœurs et tentait de les embrasser sur la bouche !

Dégoûtant, avez-vous dit ? Vous avez parfaitement raison. Nos rapports avec les insectes peuvent parfois nous en dire beaucoup sur ce que seront nos rapports avec nos semblables.

Abeilles

Chat
Cheval
Chien
Coq
Couleuvre, serpent

Grenouille
Guêpes

Hamster

Mouton

Oiseau

Papillons
Poissons en aquarium
Porc
Poule
Poulet

Sauterelles
Souris

Taureau
Tortue

Vache
Veau

Vous pouvez aussi avoir des souvenirs rattachés aux animaux sauvages. Pourquoi pas ! Peut-être alliez-vous à la chasse ou avez-vous des souvenirs précis rattachés à la visite d'un zoo. Avez-vous déjà

éventré un nid de guêpes, volontairement ou accidentellement ? Avez-vous déjà chassé des abeilles
pour les enfermer dans un bocal en verre, de façon
à les « voir faire du miel » ?

Étiez-vous mauvais perdant ? Aviez-vous des habiletés particulières ou avez-vous surtout apprécié le sport à titre de spectateur ?

Badminton
Balançoire
Ballon
Baseball
Basket-ball
Billes
Bingo
Boxe

Cache-cache (ou cachette)
Cartes à collectionner (hockey, baseball, autres)
Cartes (bataille, 500, poker, canasta, bridge, autres)
Chasse
Colin-maillard
Collection (papillons, timbres, monnaie, roches ou autres)
Cow-boys et indiens
Croquet

Dames
Dés

Échecs
Embarcations nautiques (chaloupe, voilier, pédalo, kayak, autres)

Fers
Football
Frisbee

Golf

Hockey

Jouets

Lutte

Marelle
Monopoly
Motocyclette

Natation

Parchési
Pêche
Pétanque
Pistolet à eau
Poupée

Quilles

Soccer

Tennis
Tricycle

Vélo
Volley-ball

Photo 6 : Ma première auto. Un jour, j'ai flanqué une raclée à un ami qui me l'avait empruntée sans me demander la permission.

ARBRE
GÉNÉALOGIQUE

*L*a généalogie d'une famille a quelque chose de fascinant. Je connais peu de personnes qui n'éprouvent pas de plaisir à remonter leurs racines le plus loin possible pour en savoir un peu plus sur leurs ancêtres, incluant leur provenance.

Mon grand-père paternel a un jour fait réaliser la généalogie de la famille Samson par l'Institut Drouin, de Québec. Le produit fini a pris la forme d'un gros livre relié cuir ; il était enfoui dans la bibliothèque vitrée comme un objet rare et précieux, et personne n'avait le droit de le sortir de la maison !

Quand mon père s'avisait de le consulter (en tant que grand, il avait le droit !), il n'était pas question que ça se fasse sans moi ! Je voulais à tout prix trouver des personnages célèbres parmi mes ancêtres… J'ai été fort déçu quand je me suis rendu compte que le vénérable institut ne s'était pas donné la peine de remonter jusqu'au Samson de la Bible. M'enfin…

Aujourd'hui, il est probable qu'une telle généalogie coûte cher. Par contre, il existe des associations de généalogistes amateurs, dont beaucoup ont pignon sur le Web, et qui se sont donné pour mission de conseiller et d'aider les gens à faire eux-mêmes leur généalogie familiale. Il existe aussi des associations de famille.

Pour les férus d'informatique, des logiciels simples à utiliser permettent de faire des arbres généalogiques. Même sommaire, une telle généalogie peut vous éclairer sur vos racines et vous aider dans votre entreprise d'écriture.

Si ce n'est déjà fait, effectuez une courte recherche et notez diverses informations qui constitueront votre arbre généalogique de base : nom, nom de fille, date de naissance, lieu de naissance, date du mariage, nombre d'enfants ainsi que leurs noms, date du décès, etc.

Dans chaque cas, voyez ce que vous pouvez glaner comme informations supplémentaires pour avoir une meilleur « portrait » de chacune de ces personnes. Au besoin, et si vous en avez à votre disposition, joignez des photographies.

Ma grand-mère paternelle
Mon grand-père paternel

Ma grand-mère maternelle
Mon grand-père maternel

Oncles/tantes, cousins/cousines

Ma mère
Mon père

MÉTIER(S)
ET PROFESSION(S)

Plus vous êtes avancé en âge et plus il est probable que vous n'ayez exercé qu'un seul métier dans votre vie. Si tel est le cas, je suis persuadé qu'une foule de souvenirs y sont rattachés : le travail lui-même, l'environnement, les collègues, les patrons, des situations difficiles comme des fermetures d'entreprises ou des grèves, etc.

À quel âge avez-vous commencé à travailler ? Comment avez-vous déniché ce travail ? Qui avez-vous rencontré en entrevue et comment celle-ci s'est-elle déroulée ? Quelles étaient vos tâches plus précisément ? Quel était votre salaire horaire ? Pouvez-vous vous rappeler vos premières journées ? votre première paye ? vos compagnons ou compagnes de travail ?

Dans cette même liste de métiers, il y en a peut-être qui ont été exercés par des parents ou des amis et qui vont aussi faire surgir des souvenirs en vous. Par exemple, je me souviens assez bien de l'époque où le pain et le lait étaient livrés à la maison chaque jour par un boulanger et un laitier qui avaient en commun de faire leur livraison au moyen d'un chariot tiré par un cheval. C'était aussi l'époque des pintes de lait en verre et, surtout, celle où l'on pouvait laisser de l'argent sur le balcon pour payer le laitier, sans risquer de se le faire voler.

Dans ce temps-là, les médecins faisaient des visites à domicile et les ramoneurs de cheminées faisaient du porte à porte pour offrir leurs services. Mon grand-père paternel se faisait livrer le charbon pour chauffer la fournaise, alors que mon grand-père maternel coupait lui-même son bois de chauffage avant de l'entreposer dans un hangar attenant à la maison.

La liste qui suit comporte surtout des noms masculins. Ne vous en offusquez pas ; elle reflète une époque où les femmes étaient cantonnées à des rôles très définis et où de nombreux métiers et professions ne leur étaient pas accessibles.

Aviateur
Avocat

Barbier
Bibliothécaire
Boulanger

Caissière
Camelot

Camionneur
Chauffeur de taxi
Coiffeuse
Conducteur de train

Conseiller municipal
Cultivateur
Curé

Dentiste
Député
Directeur de banque (ou de caisse)

Directeur/directrice d'école

Électricien
Éleveur
Enseignant/enseignante
Épicier

Facteur

Infirmière ou infirmier

Juge

Laitier

Libraire

Maire
Mécanicien
Médecin
Militaire
Musicien

Notaire

Pâtissier
Plombier
Policier
Pompier
Prêtre

Religieuse ou religieux
Restauratrice/restaurateur

Vendeur/vendeuse dans un magasin
Vidangeur

À cette liste, on peut ajouter les personnages fictifs et héros qui ont peuplé le monde de l'enfance et que l'on retrouvait à la radio, à la télé, dans les bandes dessinées ou au cinéma : Tarzan, Barbie, Superman, un cow-boy, une fée, un astronaute, un lutteur, le bonhomme Sept Heures, James Bond, un magicien, Sylvie, Bob Morane, Ivanhoé, etc.

Avant les années 60, les femmes avaient peu de modèles à qui s'identifier, si ce n'est leur mère, quelques saintes à la vie exemplaire ou des femmes qui avaient réussi quelque chose d'extraordinaire mais dont on ne parlait pas beaucoup, de peur que les petites filles se mettent à rechercher autre chose qu'un rôle de mère, d'épouse et de ménagère.

Au fait, Madame, pourquoi ne parleriez-vous pas de cet aspect de votre vie ? Comment voyez-vous le féminisme aujourd'hui ? Dans quelle mesure a-t-il eu un impact sur votre vie ? Le jugez-vous favorablement ? Pourquoi ?

LIEUX
DE RÉSIDENCE

Aussi loin que je me souvienne, ma mère avait une manie : la bougeotte. À l'âge de 13 ans, quand mon père a acheté sa première maison, j'avais déjà déménagé au moins 15 fois ! Même si les souvenirs sont très flous dans certains cas, je puis néanmoins me souvenir de la plupart des endroits où j'ai habité.

Chaque lieu de résidence représente une époque, si brève soit-elle. Presque automatiquement, des souvenirs me reviennent : des visages d'amis et de voisins, des jeux dictés par la proximité d'un hangar ou d'un grand champ, le chemin conduisant à l'école ou à l'église.

Je garde le souvenir de quelques logements, alors que d'autres ne semblent pas avoir laissé d'empreinte dans ma mémoire. Pour certains, je me souviens de l'extérieur de la maison, alors que dans d'autres cas, il me reste un souvenir de l'intérieur ou de certaines pièces en particulier.

Par contre, je conserve beaucoup de souvenirs des maisons de mes grands-parents pour y avoir passé les moments les plus heureux de mon enfance. À ce chapitre, j'ai été gâté : l'immense jardin, le poulailler-converti-en-garage et le hangar de l'un ;

Photo 7 : En 1955, sur le côté de la maison des grands-parents paternels… dans le temps où l'hiver était l'hiver.

la cave immense, le grand terrain et la vieille grange de l'autre.

Et vous ? Un petit pèlerinage aux sources pourrait-il susciter des souvenirs en vous ? Vous seriez étonné de voir à quel point les souvenirs surgissent quand on se donne la peine de visiter les endroits où l'on a habité, particulièrement quand on est accompagné de quelqu'un qui ne connaît pas les lieux et qu'on se met en frais de lui raconter ce qu'on y a vécu.

Ce type de souvenir ainsi que les dates qui y sont associées peuvent s'avérer précieux pour situer des événements dans le temps. Sur le coup, on peut très bien ne plus se rappeler l'année où s'est déroulé tel événement ; toutefois, quand il est possible de l'associer à tel ou tel endroit, on peut le situer dans le temps plus facilement et faire surgir ainsi bon nombre de souvenirs.

Si on n'a eu qu'un seul lieu de résidence pendant de longues années, on peut toujours se fier à d'autres événements liés à l'environnement immédiat : un nouveau voisin, un édifice démoli, un champ transformé en zone résidentielle, une rénovation, etc.

Je me souviens d'avoir participé, dans la mesure de mes moyens, bien sûr, à la construction de la maison de mon oncle André ainsi qu'à la reconstruction de la grange de mon oncle Raoul. Comme tout jeune garçon, j'aimais faire partie d'un groupe d'ouvriers et me sentir utile en transportant des objets et en plantant quelques clous ici et là.

Ces activités auraient pu susciter chez moi une vocation ou, à tout le moins, un intérêt marqué pour le travail manuel, mais il n'en fut rien. Rassurez-vous : la maison et la grange sont toujours debout !

Maison des grands-parents paternels
Maison des grands-parents maternels
Maison (ou appartement) de mes parents

Autres maisons ou appartements qui font partie des souvenirs

Ma première maison (ou premier appartement)

Autres endroits de résidence (énumérés de façon chronologique)
Avant que je parte de la maison
Après mon départ de la maison

ÉCOLES,
COLLÈGES, COURS

Quand je suis arrivé à l'école, je savais déjà compter, lire et écrire. Ma grand-mère maternelle m'avait enseigné tout cela.

Avant de commencer à voyager matin et soir au cégep, à 20 km de chez moi, j'avais fréquenté trois écoles primaires et un collège privé. J'avais eu comme enseignants des laïcs des deux sexes, des religieuses (Sœurs grises), des frères (Instruction chrétienne) et des pères (Sainte-Croix).

J'avais fréquenté une école de filles (mes trois premières années) et une école de gars, acheté des tas de petits Chinois, fait partie de l'Armée de Marie, beaucoup joué au ballon chasseur, au hockey, au soccer, au football, au basket-ball, au tennis, aux échecs et au ping-pong. J'avais aussi étudié le latin et le grec, découvert la littérature française et la philosophie, fait des centaines d'heures d'étude obligatoire, quelques heures de retenue et quelques coups pendables.

Après quarante et quelques années, l'environnement immédiat des écoles que j'ai fréquentées a beaucoup changé, mais les édifices sont toujours là. L'un est devenu une résidence pour personnes âgées ; un autre abrite les bureaux de la commission scolaire, alors que le collège s'est agrandi et enrichi d'un aréna et de quelques annexes.

Photo 8 : Ne vous fiez pas aux apparences ; je vous jure que le plus insupportable des deux, c'était mon ami Jean, à gauche.

Souvent, quand je passe dans le coin, je fais un détour pour voir l'état des lieux. Je fais l'exercice mental de les revoir tels qu'ils étaient jadis. De fil en aiguille, cela m'amène à me remémorer les années que j'y ai passées, à retracer les noms et les visages de mes camarades et de mes enseignants de l'époque.

Mais mon plus grand plaisir, c'est de me rappeler l'itinéraire que je devais suivre pour m'y rendre ; en compagnie de qui je le faisais ; à pied ou en vélo ; le trajet choisi selon la saison ; les rues ou les champs par lesquels je passais ; les divers incidents ou accidents qui ont pu m'arriver au cours de ces trajets ; les jeux pratiqués pendant la récréation, etc.

Pensez-y à votre tour ! Quelques événements marquants ont dû se produire tout au cours de ces années. C'est peut-être le petit catéchisme qui a eu une importance marquante sur votre vie ; des amitiés que vous avez liées et qui sont peut-être toujours vivantes ; des livres scolaires que vous avez lus ; des enseignants qui vous ont particulièrement marqué ; etc.

Ateliers

Cégep
Cours classique
Cours de danse
Cours de musique
Cours divers
Cours par correspondance
Cours spécialisé

École primaire
École secondaire

Maternelle

Pensionnat
Prématernelle
Pré-prématernelle (ma grand-mère
m'a enseigné à lire et à écrire
à la maison)

Université

En rétrospective, avez-vous aimé ou détesté l'école ? Pourquoi ? Si c'était à recommencer, feriez-vous les choses différemment ? Auriez-vous une attitude différente ? Choisiriez-vous des matières ou une spécialisation différente ?

Aide-
mémoire
12

LIVRES,
MUSIQUE, FILMS

*L*a musique est-elle importante pour vous ?
Jouez-vous ou avez-vous joué d'un instrument ?
Aimez-vous lire ? Au cours de votre enfance ou de
votre adolescence, avez-vous lu des livres ou vu des
films qui vous ont particulièrement marqué ? qui
ont changé le cours de votre existence ? Quelles
émissions de radio ou de télévision ont attiré votre
attention au cours des années ?

Pour ma part, je me souviens d'un piano droit
chez mes grands-parents paternels et de la quantité de livres de musique (toute la collection de
La bonne chanson canadienne) cachés dans le banc
du piano. Mais surtout, je me rappelle l'imposante
collection de musique en rouleaux soigneusement

rangés dans un immense (pour mes yeux d'enfant) placard de l'étage.

Pour être un virtuose, il suffisait de placer un rouleau dans le piano et de pédaler. Le piano jouait tout seul, comme par miracle. Des chansons canadiennes... l'*Ave Maria* de Schubert... du Gershwin... la *Sonate à la lune* de Beethoven...

C'est probablement pour cela que je n'ai jamais appris à jouer, préférant pédaler plutôt que de faire des gammes ! Naturellement, on ne sortait les rouleaux que lors des grandes occasions. En tout autre temps, le piano servait surtout de support pour une collection de photos de famille.

Photo 9 : Le piano « magique ». Remarquez la date imprimée sur le côté de la photo.

Au gré de mes fouilles dans le placard dont je vous parlais précédemment, j'ai aussi trouvé un vieux violon auquel il manquait une corde. Mes cousins et moi n'osions pas vraiment en jouer parce qu'il nous était à peu près impossible d'en tirer un son mélodieux.

C'est toujours dans ce placard que j'ai trouvé le premier album de bandes dessinées qu'il m'ait été donné de voir : *Bécassine*, cette drôle de petite bonne femme hollandaise en sabots.

Pour cette liste-ci, je suggère de jouer au jeu de l'île déserte : on vous dit que l'on vous envoie passer le reste de vos jours sur une île déserte et que vous avez le droit d'y apporter des choses qui vous tiennent à cœur, mais en un seul exemplaire. Par exemple : un livre, un disque, un film, etc.

Réfléchissez bien et faites vos choix avec minutie. Pensez ensuite aux raisons qui ont dicté vos choix et essayez de voir dans quelle mesure ceux-ci peuvent être associés à des événements précis de votre vie.

Dans un deuxième temps, utilisez cette liste pour stimuler vos souvenirs. En plus de répondre aux questions, faites l'effort de comprendre les motivations derrière chacune de vos réponses.

Dans le cas de la peinture ou de la photographie, par exemple, votre choix repose peut-être sur le fait que c'est un chef-d'œuvre, comme il peut s'agir d'une peinture qui a une valeur strictement sentimentale.

Mon premier livre
Le livre qui m'a le plus marqué

Le disque (ou la chanson) que
j'ai le plus aimé

Mon émission de radio préférée
Mon émission de télévision préférée

Le premier film que j'ai vu
Le film que j'ai le plus aimé

Mon instrument de musique favori
Mon mets favori

Ma boisson préférée
Mon dessert préféré
Mon jeu favori
Ma peinture favorite

Ma photographie favorite
Mon animal domestique favori

Maintenant, répondez à ces questions :
J'aime ou je déteste_____
parce que…

le ballet
le blues
la chanson traditionnelle
la comédie musicale
le folklore
le jazz
la musique classique
la musique country
la musique pop
les musiques exotiques
l'opéra
l'opérette
le rock

Si, comme moi, vous détestez particulièrement tel type de musique, tel instrument ou tel interprète, inscrivez-le dans la liste s'il n'y est pas déjà et faites l'exercice de fouiller dans vos souvenirs pour essayer de savoir pourquoi. Peut-être retrouverez-vous là des raisons qui vous amènent à manquer d'objectivité !

Aide-mémoire 13

ÉVÉNEMENTS SPÉCIAUX

E n réfléchissant à certains événements spéciaux, je me suis souvenu, entre autres, des processions de la Fête-Dieu qui, selon mes souvenirs, se déroulait toujours lors d'une soirée fraîche, à l'automne probablement. En cortège dans les rues de la ville, la nuit tombée, en habit du dimanche, nous déambulions en récitant des prières et en chantant. La plupart des participants tenaient à la main un cierge autour duquel il y avait une espèce de petite boîte en carton aux côtés translucides sur lesquels étaient inscrites les paroles des chants.

Chaque année, tous les parents prenaient la peine d'aviser les jeunes de tenir leur cierge bien droit pour éviter de mettre le feu à la boîte, chose que tous les enfants faisaient aussitôt qu'ils en avaient l'occasion, ne serait-ce que pour se réchauffer les mains un peu… accidentellement, bien sûr !

Je me souviens aussi de ces parades de la Saint-Jean-Baptiste et de la quantité de drapeaux et de fanions que mon grand-père paternel accrochait après la maison à cette occasion, et que nous « empruntions » le reste de l'année pour le besoin de nos guerres avec les Blondin et les Cantin, nos plus féroces ennemis.

Combien de batailles se sont ainsi déroulées pour le compte du Québec, du Canada, du Commonwealth ou du Vatican, puisque c'étaient les drapeaux que mon grand-père gardait précieusement !

Je me souviens aussi d'éclipses solaires observées à travers des bouts de pellicule pour ne pas s'abîmer la vue. Pendant toute la durée de l'éclipse, mon grand-père s'enfermait dans la maison, baissait tous les stores et allumait des lampions.

Je ne comprenais pas cette superstition, pas plus que je ne comprenais que mon autre grand-père agisse de la même façon au moment d'orages électriques violents. Même que c'est moi le premier qui ai réussi à faire sortir ma mère à l'extérieur pour voir un orage de plus près ! Il tonnait, les éclairs striaient le ciel, la pluie nous atteignait même dans le recoin du balcon où nous étions postés, mais je trouvais le spectacle fascinant !

Anniversaire
Aurore boréale

Baptême

Confirmation
Cirque, kermesse itinérante

Décès
Divorce ou séparation

Éclipse solaire

Festival (chez nous, c'était le Festival
de l'érable)

Fêtes religieuses
Funérailles

Gestes délinquants
Guignolée

Incendie
Inondation

Lever ou coucher de soleil

Mariage
Messe de minuit
Météorite, comète, étoile filante

Naissance

Parade ou procession religieuse
Premières fréquentations
Premier baiser
Première communion

Remariage

Spectacle

Tempête

Visite paroissiale

MALADIES,
ACCIDENTS, INCIDENTS

armi les souvenirs moins agréables, il y a les maladies et les accidents que nous avons subis ou qui ont touché des personnes de notre entourage. À partir des malaises qui ont atteint presque tous les enfants jusqu'aux maladies graves aux conséquences funestes, aucune famille n'a été à l'abri de la varicelle, d'une grippe, d'une fracture, de la presbytie ou du cancer.

Je me souviens parfaitement de la fracture au pouce de ma main droite en jouant au baseball ; de la nausée que j'ai éprouvée pendant le trajet vers l'hôpital ; de mon veston préféré que l'on a dû découper pour me l'enlever; du retour à l'école et des journées passées à lire des albums de bandes dessinées.

Je me souviens aussi de la terrible pleurésie qui a obligé mes grands-parents à me ramener « en ville » en catastrophe parce que je respirais avec difficulté. J'avais attrapé cette saleté à cause des journées passées sous une chaleur torride dans la poussière du fenil à engranger du foin.

J'ai aussi vu la mort par noyade de très près. Bien que cela ait surtout traumatisé mes parents, je puis visualiser ces moments comme s'ils s'étaient déroulés hier, alors que ça s'est produit il y a environ 45 ans. De fil en aiguille, cela me permet de me rappeler où cela s'est passé, les circonstances exactes ainsi que les personnes présentes, le tout m'amenant vers d'autres souvenirs.

Accident d'auto
Accident de vélo
Accident sportif
Allergies
Amygdalite
Appendicite
Asthme

Bronchite
Brûlure

Fracture

Grippe

Hospitalisation

Infarctus
Insolation

Mal de dents
Migraine

Noyade

Oreillons

Pneumonie

Toux de fumeur

Ulcères d'estomac

Varicelle

D'un même souffle, des objets liés à la maladie, à un accident, à un handicap ou tout simplement le grand âge peuvent évoquer des souvenirs précis.

Antiphlogistine, baume du tigre,
liniment, alcool à friction, etc.
Analgésique
Antihistaminique
Aspirine

Béquille

Cachet ou comprimé
Canne
Cataplasme
Chaise de dentiste

Dentiers

Fauteuil roulant

Lunettes

Mercurochrome ou teinture d'iode
« Mouche » de moutarde

Pansement
Plâtre, attelage, écharpe
Poire à lavement
Prozac

Salle d'attente (hôpital ou cabinet
de médecin)
Seringue
Sirop
Sparadrap

Valium

Aide-
mémoire
15

GOÛTS,
ODEURS, SENSATIONS

L' être humain est parfois drôlement constitué. Certains goûts de même que certaines odeurs et sensations ont fait de nous des accros à cause du bien-être qu'ils nous ont procuré. À l'inverse, nous avons tout de même réussi à développer l'accoutumance à des choses qui nous ont laissé une première impression négative.

J'en prends pour preuve les souvenirs associés à la première cigarette. Qui ne s'est pas étouffé, n'a pas été envahi par la nausée ou n'a pas éprouvé une sensation de dégoût en fumant une première cigarette ? Et pourtant, malgré cela, beaucoup d'entre nous y sont restés accrochés, parfois avec des conséquences funestes.

Vous souvenez-vous de votre première cigarette? Pourquoi et avec qui vous l'avez fumée ? L'avez-vous fait ouvertement ou en cachette ? Quelles sensations avez-vous éprouvées ? Pourquoi avez-vous senti le besoin de continuer de fumer ?

Dans le même ordre d'idées, vous rappelez-vous votre premier café ? votre premier verre d'alcool ? Avez-vous consommé des drogues « interdites » ? Quels plaisirs ou quels désagréments vous ont-elles causés ? Dans quel contexte le faisiez-vous ? L'alcool ou la drogue vous ont-ils amené à faire des gestes douteux ?

Alcool

Bière
Boisson gazeuse

Café
Chocolat
Cigarette

Fruits

Légumes

Marijuana

Pâtisserie

Thé
Tisane

Vin

APPARTENANCE
À DES GROUPES
OU À DES ASSOCIATIONS

J'ai toujours été un peu solitaire. Tout jeune, j'ai fait une incartade très brève du côté des scouts et des servants de messe ; adolescent, j'ai fait partie de quelques équipes de hockey, de baseball et de volley-ball, entre autres ; j'ai aussi été membre d'un corps de cadets avant de faire partie d'un groupe de musique pop. Beaucoup plus tard, j'ai été membre d'une équipe de balle molle et de volley-ball ; j'ai également été membre actif d'un syndicat pendant quelques années et détenteur d'une carte de parti politique pendant une brève période. C'est à peu près tout.

J'avais plusieurs amis militants dans des groupes de gauche, mais aucun n'a réussi à m'entraîner dans son giron.

Aujourd'hui, je suis membre de l'Union nationale des écrivaines et écrivains du Québec. J'ai beau me creuser la tête, je ne me trouve aucune autre adhésion.

Et vous ? Avez-vous appartenu à des groupes organisés ? Lesquels ? Selon l'époque de votre vie, qu'est-ce que cela vous a apporté ?

Association, comité ou autre

Bande de motards

Chambre de commerce

Chevaliers de Colomb

Chorale

Club Richelieu

Confrérie

Congrégation religieuse

Ensemble musical

Équipe sportive

Filles d'Isabelle

Francs-maçons

Groupe de gauche

Parti politique
Scouts
Syndicat

Dans le même ordre d'idées, avez-vous fait du bénévolat ? Êtes-vous sociable ? Avez-vous participé à l'organisation d'événements ? Avez-vous ou aviez-vous des tendances à la délinquance ? Avez-vous déjà commis des gestes répréhensibles ? Êtes-vous du type « meneur » ou plutôt du genre à suivre les autres ? Vous considérez-vous comme quelqu'un de conservateur ou de progressiste ? Vous arrive-t-il de vous sentir dépassé par les événements de la vie moderne ?

Quelle impression aimeriez-vous que vos enfants et vos petits-enfants conservent de vous ?

Photo 10 : Et pourtant, je ne suis pas devenu un motard !

Partie III
La rédaction

Récapitulation

L e travail d'archéologie est terminé ; en principe, vous avez en main tous les souvenirs dont vous avez besoin pour rédiger vos mémoires. Le temps est maintenant venu de passer à l'écriture du brouillon. Le schéma que je vous propose à partir d'ici a pour but de vous aider à organiser vos idées et à les disposer en ordre chronologique.

Dans ce cas-ci, on parle du brouillon final, ce sur quoi vous allez vous baser pour écrire — à la main, à la machine à écrire ou à l'ordinateur — votre manuscrit. Que celui-ci compte 30 pages ou qu'il en comprenne 300, vous aurez la possibilité d'organiser vos idées, de soupeser la pertinence et l'importance des événements et des souvenirs, et de décider de ce que vous allez confier à la postérité.

À moins que vous ne vous sentiez à l'aise avec d'autres modes d'écriture qui sont plus près du roman ou du scénario de film, comme l'utilisation de la rétroaction (*flash-back*), je vous suggère de vous en tenir à une structure chronologique simple puisque c'est la plus facile à suivre, tant pour la personne qui écrit que pour celle qui lit.

Titre de votre autobiographie

Essayez de trouver un titre qui correspondra bien au contenu et à ce que vous êtes, quitte à attendre d'avoir terminé la rédaction.

Dédicace, remerciements

Prenez une page pour dédicacer votre manuscrit à une (des) personne(s) qui vous est (sont) chère(s) et n'hésitez pas à remercier toute personne qui vous semble avoir eu beaucoup d'importance, tant dans votre vie que dans votre entreprise d'écriture.

Introduction

Expliquez ici ce qui vous a décidé à écrire vos mémoires et quels objectifs vous visez.

Chapitre 1

D'abord, faites une mise en contexte en présentant vos parents et vos grands-parents ; incluez une généalogie sommaire ainsi que des informations sur le type de famille que vous avez eu. Au besoin, simplifiez l'exercice en ne parlant que de vos parents.

« Humanisez-les », c'est-à-dire prenez le temps de les décrire physiquement et moralement. Racontez ce que vous savez d'eux : où ils sont nés, comment ils se sont rencontrés ; décrivez leur caractère, leur philosophie de la vie, leurs intérêts, la part que chacun a pris dans votre éducation…

Chapitre 2

Ce chapitre couvre votre naissance jusqu'au début de l'adolescence.

Où êtes-vous né ? Quels sont vos premiers souvenirs ? Quelle sorte d'enfance avez-vous eue ? Gardez-vous le souvenir d'une enfance heureuse ? Écrivez de la même manière que se sont déroulées les premières années de la vie : en élargissant votre univers.

Partez du noyau familial : père, mère, frères et sœurs, pour élargir votre champ de conscience petit à petit, tout comme vous avez graduellement pris conscience de la présence d'oncles et de tantes, de cousines et de cousins, de compagnes et de compagnons de jeux.

Vous souvenez-vous d'avoir eu des relations privilégiées avec l'une de vos sœurs ou l'un de vos frères ? avec des amis, garçons et filles ? avec des gardiennes ? Comment était la maison où vous avez grandi ? Pouvez-vous la décrire ? Étiez-vous à la ville ou à la campagne ?

Quels étaient vos jeux favoris ? Vous rappelez-vous vos jouets ? les endroits où vous aimiez jouer ? Comment Noël était-il célébré ? Croyiez-vous au père Noël ?

Comment s'est déroulée votre entrée à l'école ? Vous y êtes-vous facilement adapté ? Votre école était-elle près de la maison ? Comment faisiez-vous le trajet ? Vous y êtes-vous fait de nouveaux amis ? Comment trouviez-vous vos enseignants ? Y en a-t-il qui vous ont particulièrement marqué ? Quelles étaient vos matières favorites ? Quelle sorte d'élève étiez-vous ?

La religion était-elle prépondérante dans votre famille ? Vous souvenez-vous de votre première communion et de votre confirmation ? Comment vous sentiez-vous à l'idée d'aller confesser vos péchés ? Avez-vous vécu une naissance ou un décès ? Qu'est-ce que cela vous a fait ?

Que faisiez-vous pendant vos vacances d'été ? Vous souvenez-vous de votre premier voyage ? Avez-vous des souvenirs précis d'incidents, d'accidents, de maladies ou de tout autre événement marquant survenus durant votre enfance ? Quelle fut votre plus grande peine ? votre plus grande joie ?

Chapitre 3

Vous êtes maintenant un adolescent ou une adolescente…

Comment avez-vous vécu le passage de l'enfance à l'adolescence ? Quel genre d'ado étiez-vous ? Avez-vous fait partie d'un gang ? Quelles étaient vos activités ? La crise de l'adolescence a-t-elle changé des choses dans vos relations avec vos parents, vos frères et vos sœurs ?

Comment se passaient vos études ? Aviez-vous des emplois d'été ou avez-vous dû quitter l'école en bas âge ? Que faisiez-vous de votre argent ? Parlez-nous de votre premier amour… de votre premier baiser.

Quelles sont les personnes qui ont le plus marqué votre adolescence ? Qu'en est-il des événements marquants ? Quelle fut votre plus grande joie ? votre plus grande peine ? Avez-vous connu une peine d'amour ? Comment la sexualité se vivait-elle à votre époque ou dans votre contexte familial ? Parlez de vos fréquentations…

Chapitre 4

Une fois adulte, vous avez quitté le domicile familial…

Comment la transition s'est-elle faite ? Avez-vous quitté le domicile familial pour vous marier ? Comment avez-vous rencontré votre conjoint ou votre conjointe ? Quel âge aviez-vous ? Parlez-nous d'elle ou de lui et de la période de vos fréquentations… Comment s'est faite la demande en mariage ? Comment les noces se sont-elles déroulées ? Désirez-vous parler de votre nuit de noces ?

Que faisiez-vous comme travail ? À quel endroit habitiez-vous ? Décrivez votre première maison (ou appartement). Comment vous entendiez-vous avec la belle-famille ? Comment votre partenaire de vie s'entendait-il avec votre famille ?

Quand avez-vous eu votre premier enfant ? Comment la grossesse s'est-elle déroulée ? et l'accouchement ? Comment la présence d'un enfant a-t-elle transformé votre vie ? Quelle sorte de parent étiez-vous ?

Avez-vous eu d'autres enfants par la suite ? Décrivez-les tant du point de vue physique que du caractère. Comment s'accordaient-ils ensemble ? Quelles activités aviez-vous avec eux ? Ont-ils été malades ou ont-ils subi des accidents ? Vous ont-ils causé des tracas ?

Quel est votre plus beau souvenir en tant que parent ? votre plus mauvais souvenir ? Comment avez-vous vécu le départ de vos enfants ? Se sont-ils mariés ? Ont-ils eux-mêmes eu des enfants ?

De votre côté, avez-vous connu le décès ou la séparation d'un conjoint ou d'une conjointe ? S'il y a lieu, comment avez-vous vécu le veuvage, la séparation ou le divorce ? Vous êtes-vous remarié ? Avez-vous eu des enfants de couches différentes ? Comment ceux-ci s'entendaient-ils ?

Chapitre 5

Vous avez atteint la maturité. Vos enfants sont partis de la maison. Vous êtes à la retraite ou vous la planifiez pour bientôt…

Que sont devenus vos enfants ? Êtes-vous grand-père ou grand-mère ? Si oui, parlez de vos petits-enfants, de votre relation avec eux. Qu'est devenue votre relation avec vos enfants quand ils ont atteint l'âge adulte ?

Travaillez-vous toujours ? Êtes-vous actif physiquement et intellectuellement ? Votre santé est-elle bonne ? Comment vous débrouillez-vous financièrement ? Comment votre retraite s'annonce-t-elle ? Que faites-vous ou que ferez-vous de particulier ? À part l'écriture de vos mémoires, quels sont vos projets ?

Rétrospectivement, avez-vous l'impression que la vie a été bonne avec vous ? Si vous avez vécu des coups durs, comment vous en êtes-vous sorti ? Avez-vous dû surmonter des problèmes d'alcool ou autres ? des maladies ? des revers de fortune ? des pertes d'emploi ? des bouleversements majeurs ?

Si c'était à recommencer, feriez-vous d'autres choix ? Agiriez-vous de façon différente ? Seriez-vous autrement ?

Conclusion

Avez-vous des conseils à donner à ceux et à celles qui vous liront ? Voulez-vous présenter des excuses ? faire des mises au point ? donner des explications ?

Personnellement, j'aurais plutôt tendance à vous conseiller de le faire de vive voix, mais si vous en êtes incapable, pour une raison ou pour une autre, c'est le temps ou jamais.

Conclusion

Voilà. Au moment où j'écris ma conclusion, le véritable travail commence pour vous. Sortez votre plus belle plume, votre vieille machine à écrire ou asseyez-vous devant votre ordinateur, rassemblez les bribes de souvenirs inscrites dans votre brouillon et mettez tout ça au propre. N'oubliez pas les photographies !

À ce stade-ci, que votre lectorat potentiel soit de quelques personnes ou de plusieurs centaines de milliers, cela n'a pas vraiment d'importance. Vous écrivez pour vous, pour vos enfants et pour vos petits-enfants. Vous laissez une partie de votre mémoire en héritage et c'est cela qui importe.

***

Cette réflexion partiale et partielle sur les mémoires se termine ici. J'espère qu'elle vous aura montré quelques pistes intéressantes et qu'elle vous aidera dans votre entreprise.

Au risque de me répéter, les souvenirs qui jalonnent notre existence ne sont pas tous heureux et il y en a sûrement que l'on préférerait oublier à jamais. Mais lorsqu'on se regarde dans un miroir, ce qu'on y voit est la somme de tout ce qu'on a vécu.

Je me suis permis d'utiliser des exemples pigés dans ma vie sans aucune prétention et seulement pour illustrer mon propos. Toutes les photos utilisées proviennent de mes archives familiales.

Les bonnes adresses et autres références

Voici quelques adresses glanées au hasard de recherches effectuées dans Internet et ailleurs. J'ai inclus des sites Web qui ne sont pas québécois parce qu'ils contiennent de l'information pertinente ou des liens utiles.

Comme pour toute recherche dans Internet, n'hésitez pas à explorer et, surtout, à marquer d'un signet les pages que vous trouvez dignes d'intérêt.

Éditeurs

Mémoires enr. : www.geocities.com/memoires
454, de Bigarré, app. 2
Victoriaville (Québec) G6T 1L8
Tél. : (819) 751-3060

Maison d'édition spécialisée qui a publié l'excellent guide L'histoire la plus importante au monde… La vôtre, *de Suzanne Fortin.*

Éditions du Patrimoine : (pas de site Web)
226, avenue Nadeau
C. P. 416
Lac-Etchemin (Québec) G0R 1S0
Tél. : (418) 625-3547

Rédaction de biographies.

Éditions Francine Breton : www.efb.net/
3375, avenue Ridgewood, app. 422
Montréal (Québec) H3V 1B5
Tél. : (514) 737-0558

Par leur collection « Autobiographie », les Éditions Francine Breton visent à accompagner des individus qui désirent participer à la réalisation d'un livre sur le récit de leur vie.

Éditions Histoire vivante : www.cloxt.com/histoire-vivante/
C. P. 322
Hudson Height (Québec) J0P 1J0
Tél. : (450) 458-1635

Écrivez vous-même votre biographie et économisez !

Éditions Lescop : www.lescop.qc.ca
5039, rue Saint-Urbain
Montréal (Québec) H2T 2W4
Tél. : (514) 277-3808

La maison d'édition dont Marguerite Lescop est présidente.

Écrivains publics

Anne-Laure Blanc : www.poleressources.com/v2/cvs/redaction/cvs/blanc
De la parole au texte, de l'idée au livre, j'écris pour vous, avec vous.

Éric Bouffay : www.ifrance.com/bouffay/
Un nègre pour inconnus à votre service.

Associations

J'écris ma vie : www.geocities.com/pcloutier200/jmv

Association pour l'autobiographie : /perso.wanadoo.fr/apa/

Table des matières

Partie II Aide-mémoire en tous genres

Partie III La rédaction